• couverture et illustrations intérieures
  LILIANE FORTIER

• production pour Minos
  LINDA NANTEL

DÉCOUVRONS LA RÉFLEXOLOGIE

DÉCOUVRONS LA RÉFLEXOLOGIE

TECHNIQUE D'ACUPUNCTURE SANS AIGUILLES

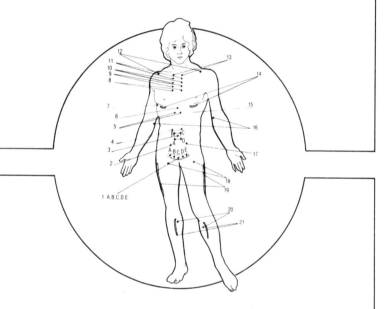

MADELEINE TURGEON, N.D.

Préface de Jacques Languirand *

Editions de Mortagne

MINOS

Diffusion: Les Éditions de Mortagne
et
Les Productions Minos Ltée

175, boul. de Mortagne
Boucherville, Québec
J4B 6G4

Distribution: Les Presses Métropolitaines Inc.
Tél.: (514) 641-0880

Dépôt légal: Bibliothèque Nationale du Canada
Bibliothèque Nationale du Québec
2e trimestre **1980**

ISBN   2-89074-017-X

À mon mari, Albert,
et à tous ceux qui désirent
prendre leur santé en mains.

PRÉFACE

par Jacques Languirand

Je m'intéresse à l'acupuncture et à la réflexologie depuis une vingtaine d'années déjà.
La réflexologie est une technique à laquelle j'ai recouru pour moi-même et pour les membres de ma famille. À l'occasion aussi pour des amis qui avaient le goût de l'aventure... Car, à l'époque, ceux qui s'intéressaient à la médecine chinoise passaient pour des originaux, voire des détraqués... Ou apprenaient vite à se taire. Et puis, je dois avouer qu'après quelques tentatives je me suis fatigué d'avoir à expliquer le corps d'énergie, les méridiens, les points... À cause, en particulier, de mon incompétence à le bien faire.
Il est difficile de communiquer les grands principes de la médecine chinoise. Elle s'appuie sur un modèle qui n'a aucun rapport avec celui de la médecine occidentale. Le modèle de la médecine chinoise repose sur l'existence d'un corps d'énergie que la médecine occidentale ne reconnaît pas, — du moins jusqu'ici.
Et, contrairement à l'impression de tolérance, parfois même d'acceptation, que donnent certains médecins, il faut bien reconnaître qu'il n'y a aucune incompatibilité entre les deux modèles.
Une attitude positive de la part des médecins qui se rattachent à la tradition occidentale, se rencontre chez certains d'entre eux qui ont *aussi* étudié la médecine chinoise, ce qui est

très rare, ou qui en savent assez pour être rassurés, ou encore qui en ont fait l'expérience, ce qui leur a permis d'en constater l'efficacité — sans nécessairement accepter le modèle que propose la tradition chinoise.

Cela dit, j'estime que les temps sont plus favorables aujourd'hui à un rapprochement.

Tout d'abord, la médecine occidentale traverse une crise. La grande époque de la médecine technologique est révolue, de ce que j'appellerais la médecine à la James BOND, avec ses gadgets-miracles. On voit aujourd'hui que cette médecine a ses limites.

Il en va de même de la médecine chimique. La prodigieuse victoire de la pénicilline parait bien loin. Et on se demande aujourd'hui jusqu'où on peut intervenir de cette façon dans le fonctionnement de l'organisme, sans créer autant de problèmes qu'on n'en résout.

À une époque récente, la médecine occidentale a choisi entre l'allopathie et l'homéopathie. En choisissant l'allopathie, il n'est pas certain que ce fut historiquement le meilleur choix... On a même à ce sujet de plus en plus de doute, du moins chez ceux qui observent l'action médicale dans notre société avec un certain recul.

Un facteur déterminant de cette remise en question de la médecine techno-chimique occidentale aura été l'analyse scientifique du résultat des interventions de cette médecine. On est assez discret sur cette question dans les milieux médicaux. Des études ont en effet démontré que, dans certains cas, la proportion de malades soulagés et/ou guéris est aussi grande chez ceux qui n'ont pas été soignés que chez ceux qui l'ont été... Dans certains cas, l'intervention aurait même été néfaste, alors que l'absence d'intervention, ou une intervention mineure, aurait eu un meilleur effet. On commence à redécouvrir les mérites de la première loi d'HIPPOCRATE: « Tout d'abord, ne pas nuire... ».

« L'autogestion commence par soi-même »
Stella et Joël DE ROSNAY,
La Mal Bouffe **(Olivier Orban).**

Mais sans doute le facteur le plus déterminant d'un changement d'attitude est le constat que l'on fait de la dépendance des individus dans notre société. L'individu est aujourd'hui de plus en plus pris en charge par l'État. L'individu moyen est maintenu dans un état de dépendance comparable à celui d'un enfant. Il ne peut rien pour lui-même. C'est ce qu'on lui dit. Et c'est aussi un fait. Sa vie est devenue une longue maladie: la grossesse et l'accouchement sont traités comme des maladies. À ce point du reste, que le nombre des césariennes augmente de façon inquiétante. On naît à l'hôpital et on meurt à l'hôpital.

Il faut rendre à l'individu la responsabilité de sa vie.
Il faut limiter le plus possible les interventions.
Il faut, d'abord et avant tout, lui fournir des outils afin qu'il puisse se prendre en charge.
La *réflexologie* est un de ces outils.

« Mais si je ne sais pas comment ça opère, est-ce que je peux recourir à cette technique ? »

Je voudrais vous rassurer à ce sujet.

Je ne connais pas un médecin qui pourrait expliquer *scientifiquement* comment opère l'aspirine.

Les recherches avancées sur le mécanisme déclenché au niveau du cerveau par l'aspirine sont très récentes et, pour autant que je sache, elles sont encore incomplètes. Et ces recherches, à vrai dire, ne sont pas de nature à intéresser les médecins engagés dans une bataille quotidienne qui vise à soulager, parfois à guérir. Il leur suffit de constater l'effet ; dans certains cas l'aspirine soulage, parfois même elle contribuerait à guérir...

Pour savoir comment opère un médicament, il faut connaître quel mécanisme il déclenche au niveau du cerveau. C'est là-dessus que portent, ces années-ci, les recherches les plus avancées, recherches dont les effets commencent à peine à se faire sentir et qui devraient révolutionner la médecine occidentale. C'est ainsi qu'il existe dans l'avant-garde de la pharmacopée, des agents dont l'action se définit au niveau même du cerveau, — *là où ça se passe.* Un jour, les mécanismes du cerveau nous seront plus familiers. Mon hypothèse est la suivante : lorsque les mécanismes du cerveau nous seront plus familiers, nous découvrirons que toutes les grandes Écoles de médecine se recoupent : la différence ne portant que sur les agents, ou sur les moyens de déclencher tel ou tel mécanisme — qui ne peut finalement qu'être le même.

Par exemple, des travaux récents sur l'anesthésie provoquée par acupuncture, indiqueraient que les stimulations cutanées, pour des raisons qui échappent encore au modèle biologique occidental, paraissent déclencher au niveau du cerveau le même mécanisme que déclenche la morphine.

De l'acupuncture, on peut dire la même chose que de l'aspirine. Ça marche, mais on ne sait pas au juste comment ça marche... Il existe bien une explication qui vient avec le mode d'emploi, — si je puis dire. Mais cette explication, encore une fois, ne peut pas encore être reprise par le modèle de la médecine occidentale, puisqu'elle repose sur l'existence d'une structure énergétique que notre médecine ne reconnaît pas encore. Mais elle devra sans doute en reconnaître éventuellement l'existence puisque, depuis quelques années, des expériences de laboratoire ont démontré la réalité des *points* d'acupuncture, grâce à la technique photographique mise au point par l'ingénieur KIRLIAN pour percer le mystère de l'aura. Le corps d'énergie a pu être photographié : certains méridiens ont été identifiés, de même qu'on a pu constater l'existence de *points d'énergie* répartis sur le corps, qui correspondent exactement à ceux de la médecine chinoise.

En attendant que la science nous éclaire davantage, vous n'avez pas besoin de savoir comment ça marche, pour recourir à une technique susceptible de soulager un malaise, voire de guérir certains maux.

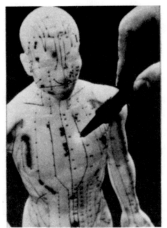

Un rayon laser de faible intensité est dirigé sur un parmi les centaines de points de l'acupuncture traditionnelle.

Une industrie allemande (la Messerschmidt-Boelkow-Blohm) a mis au point un appareil destiné à stimuler les points d'acupuncture. L'instrument émet un rayon laser de basse intensité qui peut pénétrer la peau de 3 à 10 millimètres, sans effet au niveau de la peau et sans douleur.

Je ne suis pas convaincu, quant à moi, qu'il s'agit d'un progrès, alors que les points de l'acupuncture traditionnelle peuvent être atteints par de fines aiguilles, ou encore par une pression digitale ou autre comme le démontre la réflexologie.

Mais notre époque est obsédée par la technologie. Au point que l'invention d'un appareil, surtout s'il s'agit d'un *laser*, — mot magique! — peut contribuer à faire accepter la médecine chinoise.

Faites l'expérience auprès des sceptiques de la réflexologie: normalement, l'existence d'un appareil devrait sinon les convaincre, du moins ébranler fortement leur scepticisme. Je crois que l'existence d'un tel appareil devrait contribuer à faire admettre la théorie de la médecine chinoise du corps d'énergie par la médecine occidentale, dont la pratique repose largement sur la technologie.

Il n'y a pas de doute dans mon esprit qu'un jour les traditions médicales vont fusionner et qu'il existera une grande pensée médicale à l'échelle de la planète, riche de la diversité des techniques, complémentaires les unes des autres.

J.L.

témoignage d'intérêt d'un médecin

L'art médical, dans le cadre d'une époque offrant à l'homme une somme de connaissances issue de milliers d'années de recherche, d'analyse et d'observation, se voit offrir la possibilité d'une intégration multidisciplinaire dans le but ultime de fournir au genre humain une meilleure compréhension de sa relation avec l'univers.

François-Guy Doré, M.D.

table

Introduction

La santé ne s'achète pas, elle se mérite! À cette fin, il faut utiliser les facteurs de santé reconnus depuis toujours: alimentation, exercice, air, eau, soleil, repos, hygiène et pensée positive. À cette liste, vient se greffer la réflexologie. Cette technique, peu connue au Québec, mérite vraiment de retenir l'attention de tous ceux qui sont désireux de conserver ou d'améliorer leur capital-santé.

J'ai voulu écrire ce livre pour permettre aux Québécois de langue française de prendre contact avec cette excellente technique. À ma connaissance, il existe plusieurs livres français traitant de réflexologie, mais seulement d'une façon partielle. J'ai donc pensé assembler pour vous, dans ce livre, tout ce qui est susceptible de vous expliquer la nature, le fonctionnement et le mode d'application de la réflexologie. De plus, j'établirai un parallèle entre la réflexologie et l'acupuncture, car ces deux techniques sont intimement liées par un objectif commun: rétablir l'équilibre de l'énergie vitale du corps.

Heureusement, les scientistes réussissent à prouver de plus en plus la justesse des croyances solidement ancrées depuis des siècles, chez les orientaux. C'est ainsi que les Russes, avec les photographies du couple **KIRLIAN**, se sont lancés sur de nouvelles voies de recherches révolutionnant la biologie et la pathologie. De telles photographies viennent prouver le concept chinois d'une énergie vitale circulant à travers le corps, sur des parcours bien définis appelés **méridiens**.

Cette énergie vitale fait surface sur la peau à plus de 700 points différents. Le docteur Mikhail Kuzmich **GAIKIN**, un chirurgien de Léningrad, croit fermement qu'il y a une relation entre les canaux de lumière des photographies du couple **KIRLIAN** et les méridiens distributeurs *de l'énergie vitale, décrits par les anciens Chinois. (1)*

*De tous les étranges phénomènes perçus par les **KIRLIAN**, la possibilité de prévoir la maladie, avant qu'elle ne se manifeste, s'est révélée très importante. Les acupuncteurs aussi tentent de prévenir la maladie en rééquilibrant l'énergie vitale du corps. Dans l'ancienne Chine, les gens payaient le médecin acupuncteur pour se garder en bonne santé; s'ils devenaient malades, c'était le médecin qui les payait.*

La réflexologie, en vous permettant de presser des boutons-réflexes situés principalement sur vos pieds, vos mains, votre visage, agit aussi sur la distribution d'énergie vitale à toutes vos glandes, à vos organes et à votre système nerveux. Cette méthode permet, comme l'acupuncture, de prévoir les problèmes, car, longtemps avant que la douleur irradie d'un organe précis, les terminaisons nerveuses, correspondant à cet organe, sont douloureuses. De plus, cette méthode de ramener le corps vers l'équilibre ne coûte rien, n'implique pas l'usage de médicaments chimiques et n'exige pas d'équipement spécial.

Cette simple technique du massage des réflexes peut s'appliquer n'importe quand et pratiquement n'importe où. En plus de prévoir les problèmes physiques avant qu'ils ne deviennent sérieux, vous pouvez diminuer ou enlever complètement des douleurs aiguës, relaxer la tension nerveuse et améliorer la circulation de votre corps.

La réflexologie est le massage de points bien définis situés sur votre corps. Ces boutons magiques attendent patiemment que vous les pressiez afin de vous donner de l'énergie physique en abondance, une santé radieuse, un corps sans douleur et une jeunesse se continuant très longtemps, comme l'a voulu le plan du Créateur.

---

(1) Tous les nombres entre parenthèses correspondent aux numéros de références à la fin du volume.

I
historique

Depuis toujours, les anciennes civilisations ont tenté de guérir les maux qui les affligeaient. Par des méthodes empiriques, elles ont doté l'humanité de techniques de massage, d'utilisation des plantes et de diètes souvent très efficaces. Cependant, la sorcellerie et la magie se mêlaient à leurs pratiques et ces phénomènes jetèrent beaucoup de discrédit sur leurs traitements.

De plus, des pertes importantes de documents historiques, tel l'incendie de la librairie d'Alexandrie ou la destruction de renseignements sur la médecine herbale des Indiens, par les Espagnols, nous ont empêchés de savoir comment les Égyptiens traitaient les malades ou comment les Incas pratiquaient leurs opérations du cerveau.

L'origine de la médecine chinoise est également difficile à percevoir, car elle est entachée de rites magiques et de religion. Cependant, une philosophie de base s'est nettement détachée de toutes ces croyances et est venue donner à l'acupuncture de solides assises que la science décode actuellement. Plusieurs de ces pratiques, qui ont traversé les temps, s'avèrent justifiées.

Cette philosophie se résume en trois mots : Yang, Yin et Tao. Le mot *Yang* signifiait primitivement *clarté du soleil* et le mot *Yin* voulait dire *absence de clarté*. Il y a une trentaine de siècles, le philosophe **Fou-Hi** formula la théorie du Yin et du Yang, en montrant l'opposition du jour et de la nuit, l'alternance de la lumière et de l'obscurité, la chaleur et le froid, la sécheresse et l'humidité, la vie et la mort. (2)

Le Yang, c'est la masculinité, l'activité, la splendeur, la dureté, la gauche, le noir ; le nombre qui lui correspond est le un et les autres nombres impairs. Le Yin représente ce qui est féminin, passif, terne, mou, le vide, la droite et le blanc. Son chiffre est deux et les nombres du Yin sont pairs. (3)

Yin et Yang croissent et décroissent dans un mouvement de flux et de reflux, en affectant toute la nature. La polarité Yin et Yang correspond au système nerveux sympathique et parasympathique. Yin et Yang, forces naturelles, impersonnelles, forment le Tao. Le Tao représente la loi unique régissant tout l'univers ; c'est la loi selon laquelle se tissent les liens entre le microcosme et le macrocosme. Le Tao, c'est l'harmonie des contraires, la synthèse des antithèses.

N'est-ce pas merveilleux de penser que l'homme est un résumé de l'univers, un microcosme, et, à ce titre, il est soumis aux lois qui régissent cet univers. *Ce qui est en haut est comme ce qui est en bas* a déjà dit **PARACELSE**. L'infiniment petit et l'infiniment grand sont des univers comparables.

Le rythme, selon lequel notre corps vit, est la reproduction du rythme cosmique. Ainsi, la grande année cosmique est de 25,920 années terrestres, et les respirations de l'homme, à raison de dix-huit par minute en moyenne, sont de 25,920 par jour. Le jour cosmique correspond à 72 années terrestres, ce qui équivaut au nombre moyen de 72 pulsations cardiaques de l'homme, dans une minute. (4) Le rythme zodiacal de 25,920 années est dû à une légère inclinaison de la terre sur son axe.

Dans le cœur, se reflète l'ordonnance cosmique du soleil ; dans les poumons, celle de la terre. La petite circulation (poumon-cœur) se compare au rythme terre-soleil et la grande circulation (cœur-organisme) se compare au rythme soleil-zodiaque. (5)

Le rythme cardiaque (72 pulsations/minute) est quatre fois plus rapide que le rythme respiratoire (18 respirations/minute), car les poumons reçoivent le sang issu du cœur en quatre positions différentes comme la terre reçoit les rayons du soleil en quatre positions différentes, selon les saisons. De plus, chez l'adulte, le cœur n'est pas vertical, mais oblique vers la gauche, comme l'axe de la terre.

Bien d'autres rythmes nous unissent à ce grand univers et cette pensée devrait nous conduire à vouloir prendre conscience de plus en plus de ces cycles que notre corps vit.

Nous commençons à découvrir ces rythmes connus depuis des millénaires par les orientaux. Bien que l'acupuncture et la réflexologie furent pratiquées depuis des millénaires en Orient, ce n'est qu'au dix-neuvième siècle que s'amorça un intérêt pour ces sciences. En 1834, un suédois, Pehr Henrik **LING**, nota que des douleurs venant de certains organes, était reflétées dans des zones de la peau très éloignées de ces organes. Puis, des étudiants suivirent le neurologue anglais, Sir Henry **HEAD**, qui trouva des zones réflexes pour anesthésier.

Il y a soixante ans, en Amérique, le docteur William **FITZGERALD**, spécialiste pour le nez, les oreilles et la gorge, au Connecticut, s'aperçut qu'en pressant sur certaines zones du corps, il pouvait se passer de la cocaïne alors utilisée pour anesthésier. Bientôt, un de ses amis dentiste utilisa cette technique pour soulager bien des douleurs à ses patients. Ces deux hommes aidèrent des centaines de patients, souvent avec des résultats très spectaculaires.

Le docteur Edwin F. **BOWERS**, M.D. de New York, observa les techniques du docteur **FITZGERALD**. Convaincu de l'importance de cette méthode, il écrivit un article qui lança la réflexologie en Amérique.

Cet article renfermait comme idée de base que le corps humain est divisé en dix zones: cinq reliées au côté gauche et cinq reliées au côté droit. Les zones de gauche relient uniquement les parties du corps qui se trouvent à gauche, et les organes situés à droite du corps ont leur correspondance seulement dans les zones réflexes du côté droit. Ainsi, un trouble de l'œil gauche se corrigera en massant la troisième zone réflexe du côté gauche, soit le troisième orteil ou le majeur de la main gauche.

En plus de ces deux pionniers : les docteurs **FITZGERALD**

et **BOWERS**, George **STARR WHITE**, M.D., de Los Angeles, pratiqua avec grand succès la réflexo-thérapie. Ceci dit, lançons-nous à la découverte des boutons magiques qu'il nous faut presser sur notre corps pour enlever des douleurs et assister le pouvoir auto-guérisseur de notre corps.

II
théories sur le fonctionnement de la réflexologie

Plusieurs théories tentent d'expliquer le mécanisme de fonctionnement de ce type de massage. Nous verrons ensemble les plus répandues, afin de tenter de jeter de la lumière sur ce moyen d'action corporel.

stimulation nerveuse

C'est une théorie souvent mentionnée. Il semble y avoir une relation précise et définie entre les terminaisons nerveuses des zones réflexes et l'endroit où se situe le trouble corporel. La pression exercée sur la zone réflexe est sensée transmettre des messages au cerveau, lui ordonnant de corriger le problème en mobilisant toutes les ressources disponibles du corps.

Notez que les zones réflexes importantes à masser sont les points douloureux, car cette douleur indique que les organes reliés à ces zones réflexes sont en difficulté.

Bien que tout notre corps soit muni de points réflexes, il faut prendre en note que ce sont les extrémités du corps (tête, pieds, mains) qui en renferment le plus et c'est précisément sur ces extrémités que nous exercerons le plus les massages-réflexes, car celles-ci sont très abondamment pourvues en terminaisons nerveuses. Comme elles sont très innervées, la stimulation nerveuse s'avère plus efficace dans ces régions.

Ces extrémités occupent des localisations cérébrales démesurées par rapport au reste du corps. En effet, regardez dans le tableau suivant les principales localisations motrices chez l'homme et ce que serait son corps si ses différentes parties avaient un développement proportionnel à la surface des localisations correspondantes. (6)

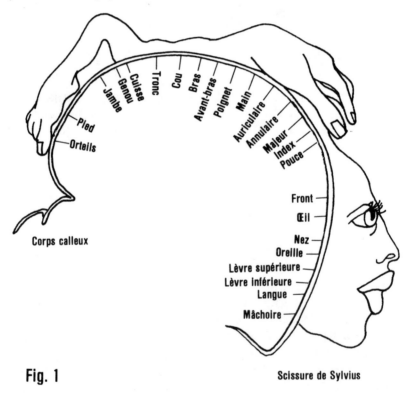

Fig. 1   Scissure de Sylvius

De son côté, **AMASSAIN** a mis en évidence des zones de recouvrement cérébral en plaçant des électrodes sur deux points différents du corps et en obtenant les réponses aux deux stimulations dans la même zone du cerveau. (7)

Ainsi, les points 4 du côlon et 3 du foie agissent sur la main, le pied, le foie, l'intestin et sur les *temporaux*. Ces deux points sont considérés comme étant presque universels du fait des importantes zones de recouvrement qu'ils touchent.

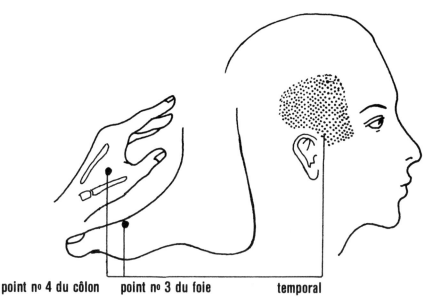

point n° 4 du côlon   point n° 3 du foie   temporal

Fig. 2

Fait intéressant, maints phénomènes de la douleur présentent des propriétés inhabituelles. Un bref stimulus de forte intensité peut causer une douleur prolongée. À l'inverse, des douleurs qui durent depuis des mois peuvent cesser après un blocage anesthésique temporaire des impulsions ou après une brève stimulation visant à accroître les impulsions.

Par exemple, des dents soignées sans anesthésie locale peuvent être le siège d'une douleur irradiée, si l'on applique un stimulus aux sinus nasaux jusqu'à soixante-dix jours plus tard. Cependant, l'anesthésie du nerf approprié de la mâchoire enlève ce phénomène. (8)

cristaux délogés

C'est une théorie communément citée par les pionniers de la réflexologie. Il semble que lorsque le système musculaire s'affaiblit, les muscles du pied s'affaissent et les vingt-six os de chaque pied se déplacent et viennent causer une pression exagérée sur certaines terminaisons nerveuses. À ce moment, la transmission nerveuse et la circulation sanguine du pied sont ralenties et la congestion, résultant de ce ralentissement, facilite la formation de cristaux composés de sels minéraux sortis de solution ou de déchets toxiques. Par leur poids, ces cristaux se trouvent attirés vers les extrémités corporelles (pieds, mains) tout comme des grains de sable vont au fond d'une chaudière. Le massage déloge ces cristaux et permet à la circulation sanguine et à l'impulsion nerveuse d'agir à nouveau avec efficacité.

Cependant, à cause de la circulation sanguine, des cristaux se retrouvent dans tout le corps. D'ailleurs, tous les masseurs, réflexologues et physiothérapeutes, grâce aux massages, délogent ces cristaux et en retrouvent souvent sur la peau. J'ai parfois retiré de ces cristaux en massant les pieds et ceux-ci ont exactement l'apparence et la texture des grains de sel tels que vous les avez dans votre salière.

Définitivement, des cristaux se retrouvent dans les extrémités! Ils expliquent en partie l'efficacité de la réflexologie. Mais là n'est pas toute la solution, à mon avis.

libération d'hormones du cerveau

Il y a vingt-cinq ans, l'idée émise voulant que les cellules nerveuses pourraient sécréter de véritables hormones, fut considérée comme une hérésie.

Les professeurs A. **SCHALLY** (Nouvelle-Orléans) et Roger **GUILLEMIN** (Institut Salk, Californie) ont réussi, en quelques années, à prouver que le cerveau commande tout l'équilibre endocrinien par la sécrétion de substances simples ou peptides qui agissent sur l'hypophyse et sur des cibles directes tissulaires ou glandulaires. En 1964, Roger **GUILLEMIN** identifia la première hormone cérébrale T.R.F. (thyrotropine) qui commande le fonctionnement thyroïdien. Deux ans plus tard, les deux savants identifièrent une autre hormone cérébrale, le L.R.F., qui commande l'équilibre de la reproduction.

Des hormones très importantes à être identifiées furent les endorphines. Formes de morphine naturelle produite par certaines régions du cerveau, les endorphines semblent représenter l'arme la plus efficace contre certains déséquilibres de la personnalité. De plus, il semble qu'elles soient l'intermédiaire par lequel l'acupuncture puisse produire l'anesthésie. (9)

Considérées comme étant deux cents fois plus puissantes que la morphine, les endorphines sont là, à la portée de votre main. (10) Il suffit de masser les zones réflexes douloureuses, jusqu'à ce que le cerveau libère la quantité appropriée d'endorphines. Pour enlever une douleur aiguë, il suffit de masser entre cinq et dix minutes. N'ayez crainte : le cerveau sait quelle dose d'hormones libérer pour vous et vous ne deviendrez jamais dépendant de cette substance.

stimulation du système lymphatique

Les vaisseaux et capillaires lymphatiques transportent des éléments nutritifs et recueillent des déchets toxiques du corps, pour les déverser dans le canal thoracique et la grande veine lymphatique qui, à leur tour, se déversent dans le sang. Situés sur le trajet des vaisseaux lymphatiques, se trouvent les ganglions lymphatiques chargés de fabriquer des lymphocytes qui vous défendront lors de certaines maladies infectieuses. Comme la circulation lymphatique est extrêmement lente, il semble qu'en pressant certaines zones, la circulation du système lymphatique est accélérée et, de ce fait, l'équilibre bio-chimique du corps se trouve amélioré. (11)

stimulation du système circulatoire

Le sang voyage à une vitesse très rapide. En effet, la grande circulation (cœur-tissus) fait un circuit complet trois fois en une minute; le sang apporte des éléments nutritifs et élimine des déchets. Une circulation amoindrie semble être le facteur-clé dans les problèmes d'élimination des déchets.

Avec la réflexologie, la circulation s'améliore et, par le fait même, l'intoxication du corps diminue, procurant ainsi une meilleure santé.

potentiel électrique anormal

Depuis longtemps, il a été reconnu qu'une différence de potentiel électrique entre certaines parties du corps représente un mauvais fonctionnement dans d'autres régions du corps. Des scientistes orientaux ont prouvé maintenant, avec des instruments très complexes, que cela existe bel et bien.

Il semble que les organes soient des accumulateurs d'énergie et que les zones réflexes puissent être comparées à des interrupteurs. La santé existe lorsqu'il y a équilibre d'énergie entre les différents organes. Si l'équilibre est perturbé, le courant n'arrive pas et ne circule pas ; il faut alors agir sur les interrupteurs pour brancher le circuit et permettre au courant de circuler sans interruption.

Le corps est un système qui fonctionne comme une pile, avec transfert ionique du côté sain vers le côté lésé, comme si l'énergie électrique allait au secours de la rupture. (12)

stimulation de la liqueur de Bonghan

Une explication scientifique toute récente, fournie par Kim **BONG HAN**, D.Sc., un biologiste coréen, semble expliquer les assises de l'acupuncture si reliée à la réflexologie.

Il semble qu'un fluide (liqueur de Bonghan), très riche en acide nucléique, spécialement en acide désoxyribonucléique (ADN), voyage dans une direction et indépendamment des fluides connus (sang, lymphe et liquide cérébro-spinal). (13) Les recherches, faites grâce à des traceurs radioactifs, ont permis d'identifier un système composé de corpuscules (appelés corpuscules de Bonghan). Ces corpuscules sont localisés en surface et en profondeur de l'organisme et ils sont reliés entre eux par un réseau de canaux et de capillaires. La structure interne de ces corpuscules est composée de cellules basophiles (alcalines) et acidophiles ; cela peut nous amener à comprendre mieux l'importance de l'équilibre acidobasique du corps si nécessaire pour la bonne circulation des énergies bioélectriques ou magnétiques.

Par le massage des zones réflexes, la stimulation de ces corpuscules permettrait au fluide de Bonghan de circuler sans entrave et, ainsi, le corps verrait sa vitalité augmenter.

influence psychologique

Cette théorie n'explique sûrement pas tous les résultats obtenus par le massage des réflexes, car les animaux réagissent comme les humains à cette technique. En effet, les indications de la réflexologie en médecine vétérinaire sont aussi diverses que chez l'homme. Et pourtant, les animaux sont privés de la suggestion qui peut jouer chez l'homme.

Cependant, il est certain que la confiance placée dans la réflexologie va amener une détente favorable au massage des zones réflexes; même les incrédules sentiront une amélioration de leur santé, pour peu qu'ils veuillent se prêter à ces massages.

De plus, il faut ici rappeler la genèse psychique de la plupart des maladies. Le grand Hans **SELYE**, de réputation internationale en ce qui concerne les effets du stress sur l'organisme, déclarait récemment que soixante à quatre-vingt pour cent de nos troubles physiques prennent leur origine dans notre tête. C'est donc dire que la détente, la relaxation, la pensée positive sont d'une importance capitale pour réussir à rééquilibrer notre santé. J'irai encore plus loin en vous disant que votre subconscient connaît la solution du problème qui vous affecte, car, à tout instant du jour et de la nuit, ce merveilleux ordinateur est chargé d'assurer l'équilibre du milieu interne de votre corps et, pour ce faire, il doit être en possession de toutes les données vous concernant. De plus, il sait comment corriger votre trouble de santé. J'ai la conviction profonde qu'il n'existe pas de problème sans solution et que si l'on sait être à l'écoute de son subconscient (en suivant son intuition, en utilisant la radiesthésie, en étudiant ses rêves, etc.) il vous guidera vers la clé qui vous ouvrira les portes de la santé.

Sans aucun doute, la réflexologie fera partie de l'ensemble des moyens pouvant vous libérer de l'entrave de la maladie. Il faut y adjoindre le respect des facteurs naturels de santé, c'est-à-dire, manger sainement, faire de l'exercice, se reposer, boire beaucoup d'eau, respirer profondément, observer les règles d'hygiène, dormir

suffisamment, s'exposer au soleil et penser positi-
vement.

sommaire

Chacune de ces théories fournit des explications
valables concernant les résultats obtenus par la réflexologie, mais, dans l'état actuel des connaissances scientifiques, aucune n'est en mesure d'expliquer techni-
quement de quelle manière la guérison survient. On ne
connaît pas exactement son mode d'opération, mais on
ne peut que constater ses résultats. Avez-vous attendu
de comprendre le mécanisme de l'électricité, de la
télévision et de la radio avant de les utiliser?

III

quand et comment appliquer la réflexologie ?

quand utiliser les zones réflexes

Lorsqu'il y a douleur aiguë, le massage des zones réflexes fait merveille ; cet effet survient probablement à cause de la libération d'endorphines qui anesthésient la douleur. Je vous recommande aussi, si vous ressentez une douleur aiguë, peu importe sa localisation, de vous masser et vous serez très souvent témoin de prodiges étonnants.

Cependant, il est évident que cette technique ne doit pas vous empêcher de consulter un médecin si la douleur persiste ; mais, avant la consultation, massez et vous aurez peut-être le bonheur de rétablir l'équilibre de votre système sans plus de problème.

J'ai maintes fois réussi à enlever ou à diminuer des douleurs aiguës et je vous assure que la satisfaction est grande. Les problèmes fonctionnels passagers, tels que l'indigestion, les migraines, la tension nerveuse, etc., semblent répondre particulièrement vite et bien au massage.

Il va sans dire que les maladies chroniques requièrent plus d'une séance, mais, après quelques semaines ou quelques mois, vous pourrez constater une amélioration marquée, car les terminaisons nerveuses deviendront moins douloureuses.

Pour rétablir l'équilibre des glandes endocrines, c'est un instrument de choix. En effet, il est difficile d'avoir une action sur ce système très complexe et si intimement relié à notre santé physique et psychique, mais un coup de pouce au bon endroit, et vous pouvez améliorer la production d'hormones au niveau désiré.

De fait, les buts de la réflexologie sont de relâcher la tension nerveuse, d'améliorer la circulation et d'équilibrer les métabolismes déréglés.

Vous pouvez donc utiliser la réflexologie sans crainte pour régler vos problèmes de santé. Une contre-indication, cependant : lors d'une grossesse, évitez de masser les points réflexes des organes génitaux (ovaires et utérus) car cela pourrait déclencher l'expulsion prématurée du bébé.

comment masser
les zones réflexes

position

Lorsque vous travaillez sur vos pieds, assoyez-vous confortablement et posez le pied à masser sur le genou opposé. Si vous travaillez sur le pied d'une autre personne, choisissez un fauteuil inclinable, avec un appui pour les pieds et voyez à ce qu'ils soient suffisamment élevés pour les atteindre facilement ; au besoin, posez-les sur un petit coussin.

massage

Avec une main, maintenez le pied à masser. Utilisez l'autre main pour appliquer une pression sur les points douloureux du pied ; cette pression s'effectue dans un mouvement circulaire du pouce en particulier, mais aussi avec l'index, le majeur ou l'annulaire. Les jointures servent quelquefois à masser les zones réflexes plus difficiles à atteindre, comme celles situées dans le talon.

Faire la rotation des orteils ou des doigts procure une sensation de détente particulièrement intéressante.

Commencez la séance par le talon et travaillez partout sous le pied, en montant vers l'extrémité des orteils. Massez quelques secondes chaque zone du pied. Notez au passage les régions douloureuses et, à l'occasion, vous sentirez sous vos doigts des dépôts de cristaux comparables à du sable ou à du sel de table.

Puis, concentrez vos efforts sur les zones douloureuses, car elles indiquent un problème des organes correspondants. Alternez le massage des points douloureux et le massage de relaxation de tout le pied. Si un point apporte des douleurs intolérables, travaillez tout autour ou sur la zone correspondante de la main ou du visage.

durée

Pour une réflexologie générale du pied, de cinq à vingt secondes suffisent pour la première pression d'un point. Relâchez et recommencez. Cette pression intermittente est particulièrement bonne pour les points très douloureux.

La réflexologie déloge beaucoup de toxines qui entrent dans la circulation et doivent être éliminées par la suite ; en règle générale, les gens qui souffrent de maladies chroniques, limiteront les premières sessions de massage à dix minutes. Dans tous les autres cas, travaillez entre vingt et trente minutes.

Pour éviter de surcharger les organes d'élimination, soyez prudents, car, si le massage a une durée et une pression exagérées, vous éprouverez de la fatigue pendant les deux jours suivants. À ce moment, repos et tisanes d'élimination sont à conseiller.

Si le problème est aigu (mal de tête, indigestion, douleur), appliquez une pression aussi forte que possible et massez les points jusqu'à trente minutes. Le problème disparaît généralement entre cinq et dix minutes.

Après les deux premières semaines de traitements, tous devraient faire au moins cinq à dix minutes de réflexologie par jour. Cependant, pour le traitement d'un point particulier, massez ce point entre cinq et dix minutes, trois ou quatre fois par semaine. Par exemple, si vous avez un problème à l'œil gauche, massez vos deux pieds au moins cinq minutes et, de préférence, entre vingt et trente minutes, tout en gardant, à l'intérieur de ce massage, entre cinq et dix minutes pour votre œil gauche.

instruments

L'instrument le plus efficace, le moins coûteux et le plus facile d'accès est, sans contredit, vos doigts. Cependant, lorsqu'un point précis est massé pendant plusieurs minutes, il peut devenir fatigant d'appliquer constamment une pression uniforme ; à ce moment, utilisez le bout non effilé d'un crayon ou d'un stylo. Vous pouvez aussi utiliser des billes, des balles de golf, des bouteilles vides de boisson gazeuse pour rouler vos pieds dessus. Vous pouvez marcher sur du gros sel ou des pois chiches déposés dans un contenant. Laissez aller votre imagination et vous trouverez d'autres instruments adéquats.

Pendant l'été, marchez autant que possible pieds nus sur la plage, sur la pelouse ou dans l'eau car vous absorberez, à ce moment, les vibrations électriques de la terre qui vous revivifieront et vous éliminerez ainsi beaucoup de déchets par la plante des pieds. Méfiez-vous des semelles de caoutchouc, car cette substance vous isolera des vibrations bénéfiques de la terre.

Actuellement, vous pouvez trouver, dans certains magasins, des sandales masseuses ; ces sandales ont des doigts de caoutchouc, de longueurs inégales, qui viennent stimuler les zones réflexes du pied. Ces sandales massent en douceur tout votre pied et il est agréable de les porter. Cependant, vous ne pouvez avoir, avec ces sandales, une action efficace sur des points précis qui exigeront vraiment un massage particulier.

Pour permettre de garder une pression continue sur le bout de chaque doigt pendant quelques minutes, le docteur **FITZGERALD** utilisa avec succès des épingles à linge et des élastiques. Certaines personnes répondent particulièrement aux épingles à linge posées sur le bout des doigts correspondants aux zones affectées. Les épingles à linge peuvent être laissées jusqu'à dix minutes à la fois, mais attention à ce que les épingles exercent une pression constante sans couper la circulation. Éviter de les utiliser sur les enfants.

Quant aux élastiques enroulés autour des doigts, ils servent à maintenir une pression constante sur certains réflexes des doigts, afin d'anesthésier d'autres parties du corps. Placez les élastiques près des jointures de chaque doigt ou de chaque orteil. Dans les cas aigus, placez-les près des premières jointures, juste sous l'ongle et, dans les cas chroniques, placez-les juste au-dessous de la deuxième jointure.

Épingles à linge et élastiques peuvent être très utiles à ceux qui ne peuvent pas utiliser très bien leurs pieds ou leurs mains. C'est le cas pour ceux qui sont affectés par de l'arthrite sévère.

Ce médecin utilisa avec succès les dents d'un peigne afin de presser sur plusieurs réflexes à la fois, non seulement sur les doigts mais sur toutes les parties de la main. Ce moyen est plus facile à appliquer que les deux précédents et donne d'excellents résultats. Bien que n'importe quel type de peigne puisse être utilisé, il est préférable qu'il soit en métal, car le métal ajoute des vibrations particulières qui stimulent les forces vitales du corps et leur permettent de s'équilibrer. (14)

Le peigne doit être pressé sur la paume de la main, sur le bout des doigts, sur le côté des doigts et entre les doigts. Quand vous trouverez un point sensible, tenez-le quelques secondes. Si vous trouvez les réflexes trop sensibles, utilisez le dos du peigne pour quelques jours.

Je vous recommande fortement d'avoir à portée de la main, près du téléphone ou de votre table de travail, soit un peigne, soit une balle de caoutchouc et, tout en occupant intelligemment votre esprit conscient, vous massez votre main ou votre pied et vous faites d'une pierre deux coups.

pression

La pression doit être suffisante pour toucher plus que l'épiderme qui est la première couche de peau. Si vous ne touchez que l'épiderme, vous ne ferez que chatouiller les gens, sans avoir d'effets réflexes.

Laissez votre intuition vous guider pour connaître la pression idéale. Surveillez le visage de la personne ; c'est le meilleur indice pour savoir si vous avez la pression idéale. Vous devez masser pour que la personne ressente une douleur tolérable. Si cela ne fait pas mal, la pression est insuffisante ou bien vous n'êtes pas dans une zone problème.

direction

L'énergie maîtresse de l'univers circule dans votre corps selon une direction bien précise. Masser en tenant compte de l'orientation de l'énergie ajoutera énormément à votre efficacité. N'ayez aucune crainte, vous mémoriserez rapidement ces «lignes de force». Étudiez le diagramme suivant et retenez ces points:

- Sous la plante des pieds, l'énergie circule du talon au bout des orteils.
- Dans la paume des mains, l'énergie circule du poignet au bout des doigts.
- Sur le dessus des pieds et des mains, l'énergie circule des extrémités vers les malléoles et les poignets.
- Les circuits d'énergie des jambes et des bras se dirigent vers les hanches et les épaules.
- Sur les jambes et les bras, la pression s'effectue entre peau et muscle, en enfonçant les doits peu profondément dans le tissu musculaire.

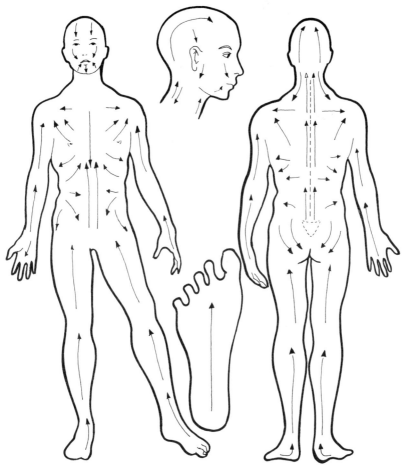

Fig. 3

- Sur les pieds et les mains, le massage s'effectue souvent profondément dans le tissu musculaire.
- Le massage circulaire dans le sens des aiguilles d'une montre active les fonctions du corps et, dans le sens contraire, calme ces mêmes fonctions.

N.B. Mon expérience m'a prouvé qu'instinctivement les gens ont tendance à suivre la bonne direction sans avoir à étudier un diagramme de l'orientation de l'énergie.

IV
situation des zones réflexes

Bien que la majeure partie de ce livre soit consacrée à la réflexologie des pieds, je crois qu'il faut vous présenter au moins sommairement la réflexologie de chacun des sens. Tout le monde sait que chaque organe des sens (œil, oreille, bouche, nez et peau) a pour rôle d'apporter les données extérieures au corps ; fait beaucoup moins connu, c'est que chacun de ces mêmes organes ont aussi pour rôle de révéler l'état de votre milieu intérieur. N'est-ce pas merveilleux de penser à ce phénomène ? Ainsi, pour un iridologue, l'iris de votre œil lui révèle l'état de chaque partie de votre corps. De même, dans l'auriculothérapie, l'acupuncteur, en n'utilisant que l'oreille, peut avoir une action sur n'importe laquelle des régions de votre corps. Le Dr **FITZGERALD** utilisa souvent les réflexes de la langue et du nez pour agir à distance sur des organes très éloignés du nez et de la bouche. Quant à la peau, ce sont surtout les pieds, les mains et le visage qui peuvent révéler ce qui se passe à l'intérieur de votre corps.

La pensée de ce réseau si complexe qui est là, à la portée de votre main, attendant d'être utilisé par vous, ne vous remplit-elle pas d'émerveillement ?

Voyons ensemble chaque organe des sens et la réflexologie que l'on peut y appliquer. À noter que les indications et les contre-indications semblent être les mêmes pour chacun de ces organes.

l'oreille

L'oreille attire notre attention d'abord parce qu'elle a la configuration du fœtus. Voir la figure ci-dessous.

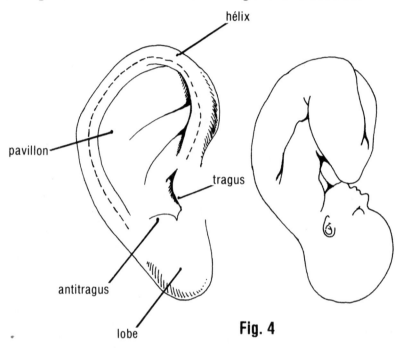

Fig. 4

La ressemblance, qui existe entre la forme de l'oreille et la configuration du fœtus, explique que chaque région de l'organisme ait une zone qui lui corresponde sur l'oreille.

Tous les organes du corps ont des points réflexes dans l'oreille. À noter qu'il y a deux mille ans déjà, on cautérisait certaines régions du pavillon de l'oreille pour traiter des névralgies sciatiques. Dans l'Ancienne Égypte, les femmes, qui ne voulaient plus d'enfant, se faisaient piquer le pavillon de l'oreille. Au IVe siècle avant J.C., **HIPPOCRATE**, qui avait eu trois ans d'initiation en Égypte, mentionnait que : « *Ceux qui ont subi des incisions à côté des oreilles, usent, il est vrai, du coït et éjaculent, mais leur éjaculation est peu abondante, inactive et inféconde.* » Et il écrit aussi : « *Pour les fluxions aux parties inférieures, ouvrir les veines aux oreilles.* » (15)

Le spécialiste de l'auriculothérapie agit de différentes manières: massages, piqûres, micro-courants électriques. Le massage s'effectue à l'aide d'un bâtonnet dont la tête est parfaitement polie. Les micro-courants indolores agissent très bien sur les enfants et les gens très nerveux, effrayés par les aiguilles.

Les tests auriculaires se font en examinant la sensibilité au contact, au froid et au chaud. En général, ce sont les acupuncteurs qui utilisent les oreilles comme zones réflexes, mais vous pouvez exercer une pression avec des cure-dents ou avec tout autre instrument très fin, de façon à mettre en œuvre la stimulation des points minuscules.

Pour remédier à un problème, vous pressez les points douloureux trouvés avec un cure-dents, en les picotant à plusieurs reprises avec le cure-dents, jusqu'à ce que la douleur disparaisse ou diminue. Bien entendu, vous prendrez toutes les précautions nécessaires pour ne pas perforer l'oreille ou la blesser en aucune façon.

Une autre croyance d'Extrême-Orient affirme que plus l'oreille est grande, meilleures seront la santé et la fortune. On assure que Bouddha avait de très grandes oreilles, dotées d'un lobe très long. Des oreilles bien balancées, épaisses et rondes sont un signe de bonne santé. Il arrive souvent, au Japon, que l'on étire les oreilles des enfants, non pour les punir, mais dans le but de leur faire connaître une existence riche, saine et longue. (16)

Les affections des seins se traduisent, dans les oreilles, par une ouïe faible, des douleurs ou des bourdonnements dans les oreilles, de même que par une coloration bleuâtre, ou qui tend à s'assombrir.

Certains points maîtres sont particulièrement efficaces. Voir figure 5.

- le point zéro: une action sur ce point rééquilibre le système nerveux, conduisant soit à la détente, soit à une stimulation de l'état nerveux. Situé à la racine de l'hélix, il correspond à un des plexus sympathiques importants du corps: le nombril.
- le point de l'hypothalamus: situé à la racine

point d'allergie

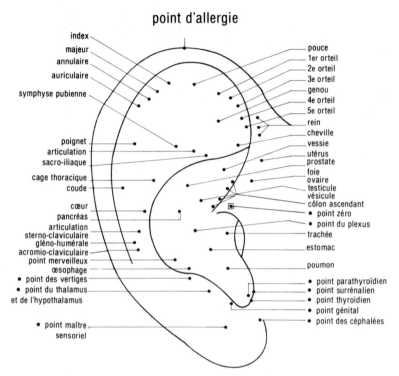

index
majeur
annulaire
auriculaire
symphyse pubienne

poignet
articulation
sacro-iliaque
cage thoracique
coude

cœur
pancréas
articulation
sterno-claviculaire
gléno-humérale
acromio-claviculaire
point merveilleux
œsophage
• point des vertiges
• point du thalamus
et de l'hypothalamus

• point maître
sensoriel

pouce
1er orteil
2e orteil
3e orteil
genou
4e orteil
5e orteil
rein
cheville
vessie
utérus
prostate
foie
ovaire
testicule
vésicule
côlon ascendant
• point zéro
• point du plexus
trachée
estomac
poumon
• point parathyroïdien
• point surrénalien
• point thyroïdien
• point génital
• point des céphalées

Fig. 5

de l'antitragus, il possède de nombreuses possibilités, car l'hypothalamus est le siège du centre de l'appétit, du sommeil et de bien d'autres fonctions physiologiques. Les médecins-acupuncteurs ont récemment découvert que l'on pouvait mettre fin à des habitudes fort nuisibles, comme celles de fumer ou de trop manger, rien qu'en installant une sorte de pince ou d'agrafe dans ce point et en l'y laissant à demeure. Lorsque la faim se fait sentir, chez un patient qui porte cette agrafe, il lui suffit de l'agiter, et cela lui permet de contrôler son impulsion. Les acupuncteurs expérimentent cette méthode, afin de parvenir à traiter également les toxicomanes et la dépendance de la drogue.

• le point génital : situé à la limite de l'antitragus vers la joue, il agit sur les fonctions génitales et sur les problèmes qui ont pour cause un dérèglement hormonal à ce niveau (maladies de peau, par exemple).

- le point surrénalien : situé à la limite inférieure du tragus, il agit sur les fatigues diffuses, l'excès de tension artérielle, les douleurs articulaires et vertébrales.
- les points thyroïdiens et parathyroïdiens : dans l'échancrure de la conque, ils régularisent les fonctions thyroïdiennes et agissent dans les cas d'anomalies de l'assimilation du calcium.
- le point maître-sensoriel : situé dans le lobule, il rend les sens plus aiguisés. C'est ainsi que les pirates ont toujours porté de petits os ou des boucles d'oreilles à l'endroit exact où se trouve situé ce point, afin de permettre aux corsaires de voir à longue distance. (17)

Retenez que l'oreille droite correspond aux organes du côté droit et que l'oreille gauche agit sur les organes du côté gauche du corps. Vous pouvez masser sans crainte lors d'affections douloureuses. Cependant, évitez de le faire durant la grossesse, ou tout au moins lors de la première journée des menstruations : cela pourrait provoquer des modifications importantes dans le déroulement de la grossesse ou dans le cycle menstruel.

Pratiquez sur les deux oreilles en même temps, en étirant le lobe d'abord, puis la partie médiane vers l'arrière et finalement le lobe supérieur vers le haut. Pincez et massez tout le tour du pavillon ainsi qu'à l'intérieur.

Frottez vos paumes et passez-les sur vos oreilles plusieurs fois de suite en amenant le pavillon d'avant en arrière et vice-versa.

Terminez en beauté par le passage de l'index et du majeur derrière l'oreille en touchant un peu le dos du pavillon de bas en haut et en rabattant en avant. Ce massage permet au triple réchauffeur (méridien qui représente votre système de chauffage central) de s'adapter aux changements de température.

l'œil

On nous a toujours dit que l'œil est le miroir de l'âme, mais il faudrait ajouter qu'il est aussi celui du corps, car tous les organes du corps ont des zones correspondantes dans l'œil. L'iridologie est la science qui révèle les problèmes fonctionnels et pathologiques du corps par des points anormaux, des fibres, des taches de couleur dans l'iris. Le but de l'iridologie est de déterminer l'endroit d'une inflammation et le degré de cette inflammation (aiguë, subaiguë, chronique et subchronique). Les yeux révèlent les faiblesses héréditaires, la présence de déchets acides, de catarrhe, de prolapsus, d'anémie, de tension nerveuse, etc.

Il semble que cette science fut découverte tout à fait par accident par un hongrois de Budapest, le docteur Ignatz **VON PECKELY**. À l'âge de dix ans, pendant qu'il jouait avec un hibou, celui-ci se cassa une patte et, dans son œil, l'enfant remarqua une zone très foncée ; plus tard, avec la guérison de la patte, des lignes blanches se tissèrent dans cette zone foncée. (18)

Des années après, lorsqu'il devint médecin, cet épisode lui revint en mémoire après avoir remarqué que les iris de ses patients variaient selon l'état de leur santé. De là, il construisit une première charte et publia un livre sur l'iridologie : **Discovery In The Realm Of Nature And Art Of Healing**. Par la suite, un homéopathe suédois, Nils **LILJEQUEST** découvrit et améliora plusieurs méthodes en iridologie. Il écrivit **Diagnosis From The Eye**. Au début du siècle, le docteur Henry Edward **LANE**, natif d'Autriche, enseigna l'iridologie au docteur Henry **LINDHAHR** de Chicago qui publia le premier volume américain sur le sujet **Iris Diagnosis**. Par la suite, le docteur Bernard **JENSEN**, D.C., de Escondido, Californie, dans son merveilleux livre **The Science and Practice Of Iridology**, décrit son expérience de trente ans auprès de 150,000 patients dans ce domaine.

De fait, pour l'iridologue, les yeux représentent un livre ouvert renfermant tout ce qui concerne le corps. Malheureusement, ce livre ouvert, peu de gens savent le lire au Québec.

Il y a quelques décades, on ne pensait pas pouvoir faire de la thérapie par l'iris de l'œil, mais il semble que l'usage des couleurs (chromothérapie) puisse affecter efficacement les terminaisons de l'oeil et, de là, les organes liés à ces réflexes. D'où l'on voit l'importance d'exposer ses yeux régulièrement au soleil, sans lunettes ou sans verres de contact qui bloquent l'entrée d'une partie du spectre solaire. Le spectre solaire, qui renferme sept couleurs de longueur d'ondes différentes (violet, indigo, bleu, vert, jaune, orange et rouge), donne à vos yeux ce dont votre corps a le plus besoin. Pour une action plus particulière, il faut s'exposer derrière un panneau coloré ou une lumière diffusant une teinte définie.

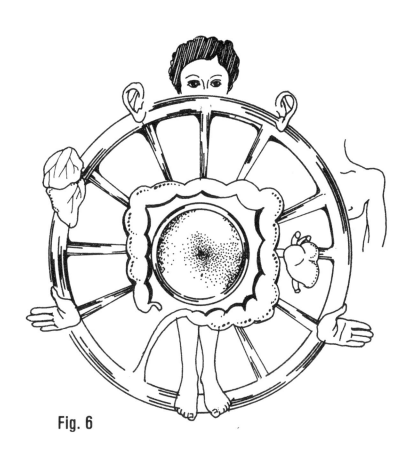

Fig. 6

IRIS DROIT

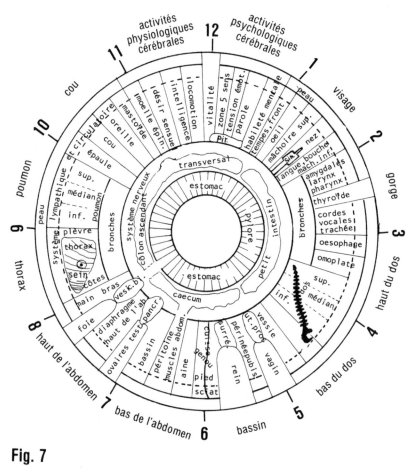

Fig. 7

De plus, la fixation de sources lumineuses (ampoules électriques, soleil), amène des sensations lumineuses appelées *phosphènes*, qui persistent longtemps après cette fixation et qui jouent le rôle de transformateur d'énergie lumineuse en énergie psychique. (19) Il va sans dire qu'il faut observer des règles très strictes si l'on pratique le mixage des phosphènes pour éviter une exposition trop forte ou trop prolongée des yeux. Cette méthode mise au point à l'origine pour aider des enfants ayant des troubles d'apprentissage, semble être d'un grand intérêt pour tous, car elle améliore la

IRIS GAUCHE

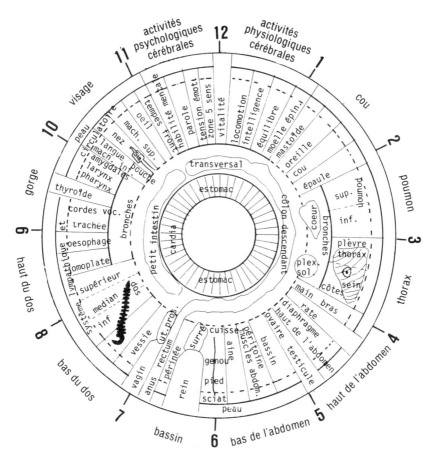

Fig. 8

concentration, la mémoire, l'esprit de décision et aussi les facultés extrasensorielles. Si vous êtes avides de connaître d'une façon détaillée cette technique, je vous recommande fortement la lecture du volume **Le mixage phosphénique en pédagogie** du docteur Francis **LEFE-BURE**.

L'iris est en mesure de révéler comment progresse votre guérison, car, au fur et à mesure que le corps se regénère, sa couleur change. Les taches anormales passent du foncé à une teinte plus pâle et des fibres de guérison se retissent dans l'œil. L'iris parfait a comme couleur le bleu, le vert ou le brun. Si vous voyez un iris avec un mélange de ces couleurs, vous pourrez déduire que la personne est intoxiquée et que son œil, avec les années, a vu s'ajouter des toxines que le corps a emmagasinées un peu partout afin de nuire le moins possible aux réactions vitales. Ainsi, vous verrez souvent beaucoup de brun près de la pupille, avec une collerette verte ou bleue autour, signifiant qu'une partie du corps est intoxiquée. Cette zone brune, près de la pupille, est la zone intestinale, foyer d'intoxication diffusant ces toxines dans tout le reste de l'organisme. Suite à des cures de jus ou à des jeûnes, j'ai vu des changements très importants se produire dans la couleur des iris. Une de mes amies, étudiante de vingt-trois ans aux yeux complètement bruns, se retrouve, après trois ans de vie saine, avec les yeux verts où seule une légère collerette brune près de la pupille se distingue. Incroyable, mais vérifiable, si vous observez vos iris et ceux des personnes de votre entourage, pour y déceler les changements mentionnés ci-haut. Voir fig. 6.

le nez

Le nez renferme plusieurs zones distinctes qui correspondent aux points d'émergence des fibres provenant de chacun des organes du corps. Le docteur **BONNIER**, en France, et le docteur **FITZGERALD**, aux États-Unis, ont été les premiers à se servir de ces zones pour activer les réflexes corporels.

Appelée sympathicothérapie, cette technique utilise de petits stylets chromés et terminés par une olive, que l'on dirige vers les points utiles malgré les sinuosités.

Il va sans dire qu'il faut un praticien très expérimenté pour toucher les points spéciaux reliés aux problèmes de la personne. Le praticien emploie trois sortes de touches : excitatrices, pour les touches actives (elles sont légères) ; dépressives, pour produire une poussée

sanguine (elles sont plus appuyées) et finalement vibra-
toires, grâce à un mouvement de va-et-vient et de
rotation. (20)

Bien que difficile d'emploi, cette réflexologie nasale
peut s'avérer extrêmement précieuse, car elle agit sur le
grand sympathique, partie de notre système nerveux qui
commande aux fonctions autonomes de notre corps
(respiration, digestion, rythme cardiaque, etc.). Le
sympathique est un double chapelet de ganglions situés
de chaque côté de la colonne vertébrale, d'où partent
une infinité de ramifications nerveuses, s'étendant
jusqu'à l'extrémité de nos membres et dont un bouquet
particulièrement important se situe au niveau de la
muqueuse nasale.

En association avec d'autres techniques, la sympathicothérapie est utile pour soigner l'asthme, l'insomnie, les
vertiges, les névroses d'angoisse, les douleurs, les
névralgies, les rhumatismes, les troubles digestifs,
l'impuissance, l'angine de poitrine, les paralysies, le
diabète, etc.

Cependant, vous pouvez vous-même agir sur ces zones
réflexes par l'utilisation des parfums. C'est ainsi que,
dans *Magie astrale des parfums*, Georges **MUCHERY**
affirme que vous pouvez, par les arômes, les odeurs et les
parfums, agir à titre préventif et curatif sur bien des
problèmes de santé. Il choisit les parfums se trouvant en
correspondance astrologique avec la maladie à guérir et
les astralités du malade.

Mise en valeur en France particulièrement par Jean
VALNET, l'aromathérapie est très utilisée dans les
instituts de beauté, mais il serait excellent d'apprendre à
utiliser les parfums pour leurs propriétés bienfaisantes ;
ainsi, les parfums sont antiseptiques (pensez aux
inhalations d'eucalyptus lors d'un rhume), cicatrisants
(arnica, romarin, sauge, lavande, etc.), amaigrissants
(citron, oignon), apéritifs (ail, camomille, carvi, estragon,
sauge, thym), dépuratifs (citron, génévrier, sauge),
sédatifs (camomille, citron, lavande, marjolaine, thym).
Cette liste est nettement incomplète, mais je souhaite
qu'elle vous incite à vous plonger dans l'étude des
propriétés des plantes et de leurs parfums.

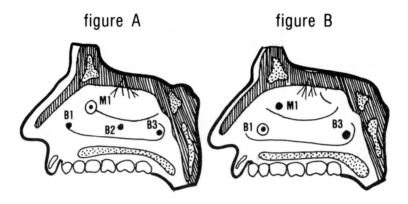

figure A   figure B

A M1, B2 et B3 dans les problèmes d'asthme.
B1: zone interdite

B M1, B1 et B3 dans les problèmes de névralgie et de rhumatismes.

Fig. 9

la bouche

C'est le docteur Georges **STARR WHITE**, N.D., de Los Angeles, qui identifia un grand nombre de points réflexes contenus à l'intérieur de la bouche.

Ainsi, en pressant les racines d'une dent pendant trois ou quatre minutes, il devient possible de l'extraire sans douleur, car une anesthésie s'est produite et elle peut durer jusqu'à trente minutes. Il va sans dire que cette technique requiert les soins d'un dentiste, mais cependant, une personne peut d'elle-même s'enlever beaucoup de douleur en pressant fermement entre le pouce et l'index la lèvre directement opposée à la mâchoire douloureuse.

Néanmoins, sans être dentiste, vous pouvez utiliser un abaisse-langue métallique ou simplement le manche d'une cuillère à dessert ou à table, pour presser les zones réflexes disséminées partout à l'intérieur de la bouche. Vous pouvez également presser votre langue entre vos dents; le docteur **FITZGERALD** affirme que la compression de la langue par les dents provoque un état de relaxation de tout le corps. (21) Il affirme aussi qu'un abaisse-langue, appliqué fermement sur l'arrière-gorge fait cesser la toux.

Fig. 10

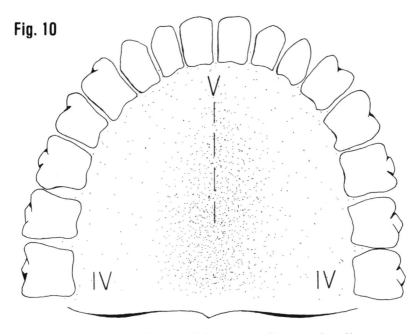

Une pression au point IV anesthésie les quatrième et cinquième zones. Une pression au point V permet souvent une extraction des incisives sans douleur.

Vous pouvez, de plus, faire des tractions de la langue avec vos doigts ; il s'agit de l'agripper fermement avec un mouchoir, afin qu'elle ne glisse pas, et la garder ainsi quelques minutes. Le hoquet, qui est un spasme du diaphragme, répond très bien à ce genre de traitement, car la traction de la langue permet d'atteindre la ou les zones coupables et de les détendre, libérant ainsi le diaphragme de son état de contraction.

Constatez ici que la bouche renferme les zones réflexes de tous les organes du corps, tout comme les autres organes des sens.

V
situation des zones réflexes de la peau

Après un survol rapide de la réflexologie au niveau de l'œil, de l'oreille, du nez et de la bouche, voyons maintenant les réflexes du cinquième sens, le toucher. Pour la compréhension du texte et l'efficacité de votre pratique, étudiez soigneusement les diagrammes représentant les zones, les organes et les points réflexes de ces organes.

les zones du corps

Le corps se divise en dix lignes verticales, descendant de la tête aux pieds. Le centre du corps est la zone un pour le côté gauche et le côté droit. Cinq zones se trouvent de chaque côté.

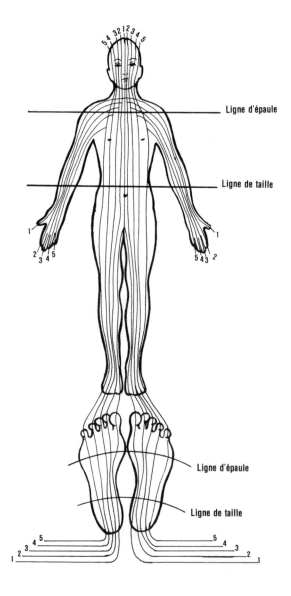

Fig. 11

zone 1

La zone un s'étend du bout du pouce au sommet de la tête, pour descendre ensuite à travers les narines jusqu'au gros orteil. Elle inclut l'estomac, les fosses nasales, le palais, plusieurs glandes endocrines, l'œsophage, la colonne vertébrale, l'utérus, la vessie, l'anus, les organes sexuels et le cœur, sur la gauche. Si vous avez des problèmes avec ces organes, travaillez dans la zone *un* sur la main, le bras, les jambes, les pieds ou le visage, selon votre goût. Ma préférence va nettement aux pieds ; cependant, je vous donnerai quand même la situation des zones réflexes sur tout le corps car, bien que la réflexologie des pieds sera traitée beaucoup plus longuement, je désire vous faire connaître des points réflexes d'une efficacité incroyable, dispersés partout sur le corps et que j'ai expérimentés avec succès sur plusieurs personnes (y compris sur moi-même), durant mes années de pratique.

zone 2

La zone deux s'étend de l'index au sommet de la tête et, de là, descend jusqu'au second orteil. Elle inclut les yeux, les sinus, plusieurs glandes, les poumons, les bronches, les amygdales, sur les deux côtés ; l'estomac, le cœur, le pancréas sur la gauche seulement. Vous constatez que certains organes se retrouvent dans la zone *un* et *deux* ; à ce moment-là, votre résultat sera meilleur si l'action se fait simultanément sur ces deux zones.

zone 3

La zone trois s'étend du majeur jusqu'à la tête pour descendre jusqu'au troisième orteil. Elle inclut les yeux, certaines glandes, les poumons, les reins sur la gauche et la droite, l'estomac sur la gauche seulement et l'appendice, le foie et la vésicule biliaire sur la droite seulement.

zone 4

La zone quatre part de l'annulaire jusqu'à la tête pour aboutir au quatrième orteil. Elle inclut:
à droite, l'appendice, le foie et la valvule iléo-caecale,
à gauche, la rate,
sur les deux côtés, les épaules, les oreilles et les poumons.

zone 5

La zone cinq s'étend de l'auriculaire en passant par la tête pour descendre ensuite jusqu'au cinquième orteil. Elle inclut le foie sur le côté droit seulement et les oreilles et la nuque sur les deux côtés.

diagramme des principaux organes du corps

Le diagramme ci-dessous vous rappelle la situation anatomique de vos principaux organes. Notez attentivement ces positions car elles se retrouvent au niveau des zones réflexes.

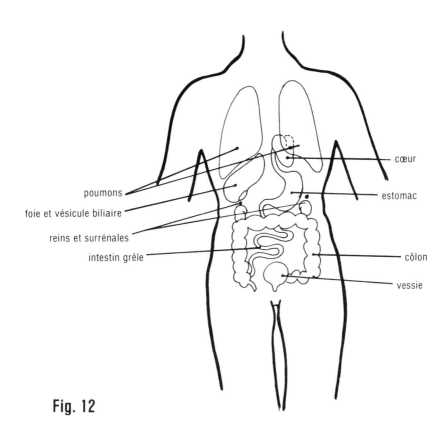

poumons

foie et vésicule biliaire

reins et surrénales

intestin grêle

cœur

estomac

côlon

vessie

Fig. 12

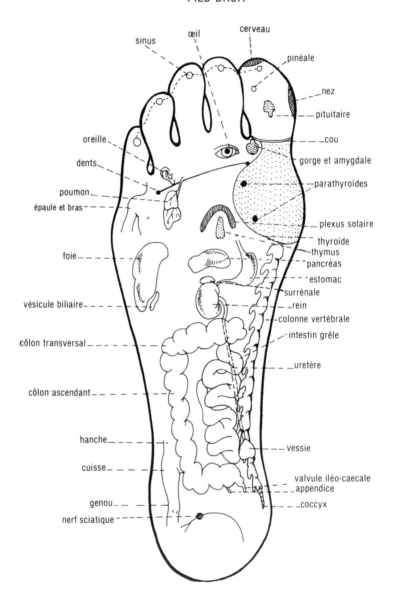

PIED DROIT

- cerveau
- sinus
- œil
- pinéale
- nez
- pituitaire
- oreille
- cou
- dents
- gorge et amygdale
- poumon
- parathyroïdes
- épaule et bras
- plexus solaire
- thyroïde
- thymus
- foie
- pancréas
- estomac
- surrénale
- vésicule biliaire
- rein
- colonne vertébrale
- côlon transversal
- intestin grêle
- urétère
- côlon ascendant
- hanche
- vessie
- cuisse
- valvule iléo-caecale
- appendice
- genou
- coccyx
- nerf sciatique

Fig. 13

PIED GAUCHE

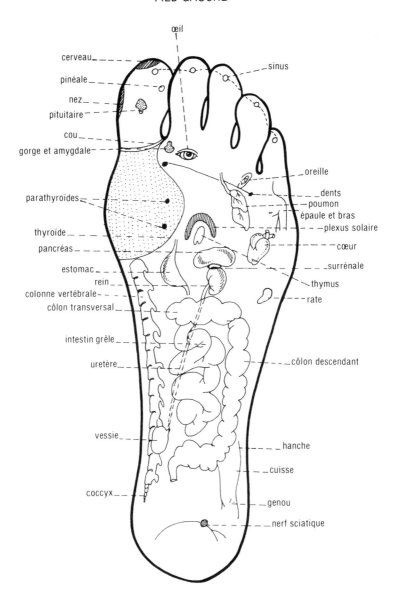

œil
cerveau
sinus
pinéale
nez
pituitaire
cou
gorge et amygdale
oreille
dents
poumon
parathyroïdes
épaule et bras
plexus solaire
thyroïde
cœur
pancréas
estomac
surrénale
rein
thymus
colonne vertébrale
rate
côlon transversal
intestin grêle
urétère
côlon descendant
vessie
hanche
cuisse
coccyx
genou
nerf sciatique

Fig. 14

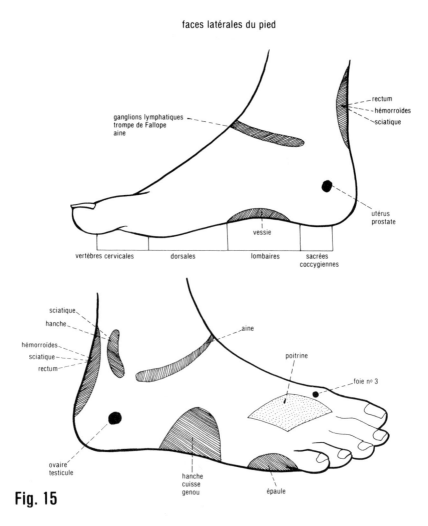

faces latérales du pied

Fig. 15

comment trouver les zones réflexes des pieds

Les figures 12, 13, 14 et 15 vous démontrent où se situent les organes dans le corps et leurs zones correspondantes sous les pieds. Veuillez noter que si l'on prenait un corps miniature pour l'appliquer sous le pied, les zones réflexes deviendraient très faciles à repérer, car leur distribution sous le pied suit véritablement la disposition des organes du corps. De cette façon, si vous avez un problème au niveau du petit intestin, vous n'irez pas masser les orteils, car celles-ci sont reliées aux sinus et à la tête. Vous irez logiquement un peu plus bas que la moitié de la longueur du pied.

En résumé, pour localiser les points réflexes, la règle d'or est la suivante : *inspirez-vous de l'anatomie du corps et vous les trouverez facilement.* D'ailleurs, la douleur éprouvée durant le massage vous prouvera de façon certaine que vous traitez un organe déficient ou malade.

L'entrée et la sortie des organes représentent les points les plus importants à masser. Par exemple, si votre estomac vous cause des problèmes, en massant la zone réflexe du cardia et du pylore, vous agirez sur lui très efficacement.

Notez également que, lorsque vous massez le pied gauche, vous n'agissez que sur les organes du côté gauche et lorsque vous massez le pied droit, seuls les organes situés à droite sont touchés. Par exemple, si vous voulez agir sur votre foie, vous devrez masser uniquement le pied droit puisque le foie est un organe situé à droite du corps.

les mains

Si les pieds vont chercher l'énergie tellurique, la tête, l'énergie cosmique, les mains, elles, constituent l'instrument par excellence de distribution de cette énergie.

Les mains représentent les deux pôles de notre corps. La main droite positive et la main gauche négative, en s'unissant, annulent la dualité de notre corps et procurent de la relaxation tant physique que mentale.

Une pratique incroyablement efficace consiste à se frotter les mains l'une contre l'autre. Les deux pôles opposés, en se joignant, se rechargent comme un aimant. Cette technique calme l'esprit et permet une meilleure distribution de l'énergie vitale. Frottez vos mains en face de votre abdomen, de votre cœur et au-

Fig. 16

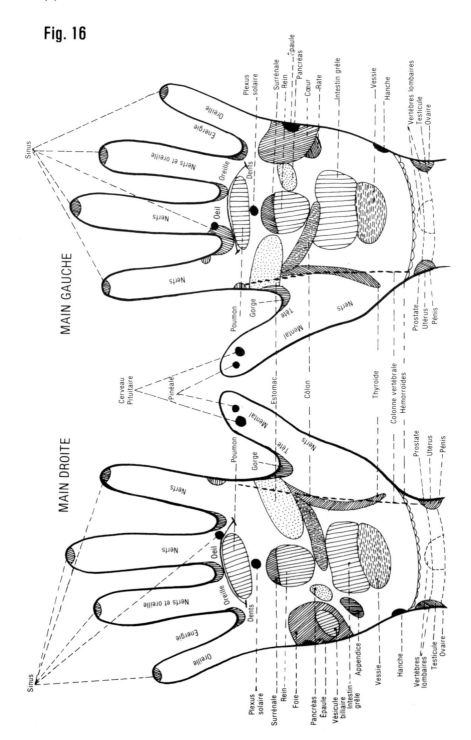

dessus de votre tête (vos trois centres principaux) et je vous promets une sensation particulièrement agréable. Les doigts sont reliés au cerveau et, s'ils sont contractés, durs, tendus, le cerveau l'est également. Notez que l'extrémité des doigts renferme plus de terminaisons nerveuses que le reste de la main. Voyons ensemble la correspondance des doigts avec les différents organes du corps et ses systèmes.

1. le pouce

Le pouce est traversé par le méridien du poumon et est aussi lié au foie. La liaison étroite de ces deux organes (foie-poumons) fait que certains troubles pulmonaires (bronchites, pleurésies) ne cèdent que lorsque le foie est traité.

2. l'index

L'index est traversé par le méridien du côlon et s'associe avec tout le tube digestif. Fait intéressant, l'extrémité de l'index est en relation avec la bouche et permet, en pressant à la base de l'ongle sur le bord externe, de couper les douleurs provoquées par une rage de dent.

3. le majeur

Le majeur s'associe à la circulation du sang. Il est parcouru par le méridien appelé *maître du cœur*.

4. l'annulaire

L'annulaire s'associe au système nerveux et révèle l'état général de la santé.

5. l'auriculaire

L'auriculaire est traversé par les méridiens du cœur et de l'intestin grêle. En pressant sur l'ongle avec le pouce et l'index de l'autre main, on régularise le fonctionnement du cœur et de l'intestin grêle. Une pression forte à la base de l'ongle sur le bord interne donne de bons résultats lors de troubles cardiaques.

Je vous invite fortement à masser vos doigts, à les tirer, à les faire craquer, à les tourner de tous côtés afin que les antennes et les méridiens puissent capter l'énergie et vous permettre de bien vous sentir.

points réflexes du visage

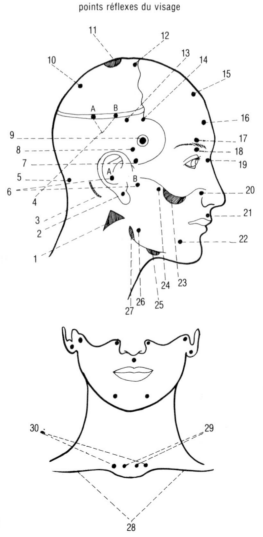

Fig. 17

points réflexes du visage

1. Cerveau. À utiliser lors d'amnésie.
*2. Point « maître sensoriel ». L'odorat, l'ouïe, la vue, le goût et le toucher. Point à utiliser lors de paralysie.
3. Intestin grêle, côlon et oreille.
*4. Système des capillaires sanguins. Le point A touche les artères coronaires et tous les capillaires des poumons. Le point B traite les yeux et les cordes vocales.
5. Cerveau. À utiliser lors de congestion des veines et pour stimuler l'appétit.
*6. Cœur et circulation. Masser le point A pour abaisser la tension artérielle et le point B pour combattre l'artériosclérose et aider le muscle et les valves du cœur.
7. Rein et côlon.
8. Cerveau et nerfs de la moelle épinière.
*9. Intestin grêle, côlon, péritoine, estomac, poumons, cœur, yeux, déséquilibre des liquides, etc.
*10. Équilibre l'énergie entre la pituitaire et la pinéale. Aide le cerveau, le côlon, l'équilibre des liquides.
11. Pylore et plexus nerveux cardiaque. À utiliser lors de crampes et gaz abdominaux et lors d'indigestion.
12. Contrôle les fluides du crâne. Aide lors de migraine.
13. Cerveau émotionnel. Aide à relaxer. À utiliser sous la surveillance d'un médecin.
14. Nerfs crâniens, intestins. Aide lors de vision double.

---

* Les points, précédés d'un astérisque sont considérés comme étant plus importants.

15. Estomac, cerveau. Permet une meilleure absorption d'oxygène dans le cerveau et soulage les étourdissements.

*16. Plexus solaire, estomac. Point de relaxation.

17. Yeux, intestins et partie consciente du cerveau. Si vous vous endormez en conduisant votre voiture, pressez ce point.

*18. Plèvre des poumons, foie, vésicule et sciatique.

19. Yeux, estomac et troubles de la jambe.

20. Poumons et bronches. Traite les sinus des maxillaires, les allergies, les obstructions nasales et la constipation.

21. Lobe antérieur de la pituitaire. Aide certaines paralysies et est un point anti-toux.

22. Lobe postérieur de la pituitaire. Traite les rhumes de cerveau.

23. Les muqueuses. Aide à éliminer les sinusites.

24. Douloureux, lors d'infections.

25. À utiliser lors d'une rage de dent.

26. Muscles du visage, yeux. Traite les oreillons.

27. Influence fortement l'équilibre des liquides des yeux.

*28. Influence le métabolisme. Le point central au-dessus du sternum couvre le cardia de l'estomac, aide l'œsophage et les organes abdominaux (reins, utérus, etc.); il aide aussi la gorge.

29. Les deux lobes de la thyroïde. Agissent sur le contrôle du poids, de la température du corps et du métabolisme basal. À noter que le massage de la thyroïde stimule aussi les parathyroïdes. Les réflexes des parathyroïdes supérieures se trouvent à un ou deux centimètres au-dessus de la

clavicule et ceux des parathyroïdes inférieures se trouvent sur la clavicule.

30. À gauche, ce point contrôle la partie
gauche du cœur et le bras gauche et, à
droite, le bras droit et tout le côté droit.

points réflexes du corps
— côté frontal

*1. Localisés sur les deux os du pubis, ces points touchent un nombre élevé d'organes. Les points 1A et 1E améliorent la circulation des jambes vers le cœur et sont à masser lors de varices et d'ulcères variqueux. Les points 1B et 1D agissent comme réflexes des ovaires et des trompes de Fallope chez la femme et des voies spermatiques chez l'homme; à noter qu'une congestion des organes reproducteurs produit souvent de la douleur dans les jambes et dans le bas du dos. Le point 1C, sur la symphise pubienne, (point de jonction des deux os pubiens) agit sur l'utérus de la femme et la prostate de l'homme; si vous pressez avec l'index sous le point 1C, vous stimulerez la vessie et l'urètre.

*2. Situé dans la même position que le numéro 17, ce point stimule l'évacuation de gaz et le péristaltisme intestinal et influence fortement la distribution de l'insuline parce qu'il se place sur le trajet du méridien rate-pancréas.

*3. Point passe-partout. Il se localise tout autour du nombril et s'avère extrêmement actif. Avant la naissance, le cordon ombilical passant par le nombril, nourrit le fœtus; après la naissance, cette région demeure d'une importance vitale puisqu'elle renferme quatre points réflexes reliés au duodénum ou aux douze premiers pouces (30 centimètres) de l'intestin grêle. Massez ces points dans tous les problèmes digestifs: gaz, indigestion, ulcères au duodénum, troubles du métabolisme des protéines, des lipides et des glucides, mauvaise assimilation du calcium, du fer,

points réflexes du corps — côté frontal

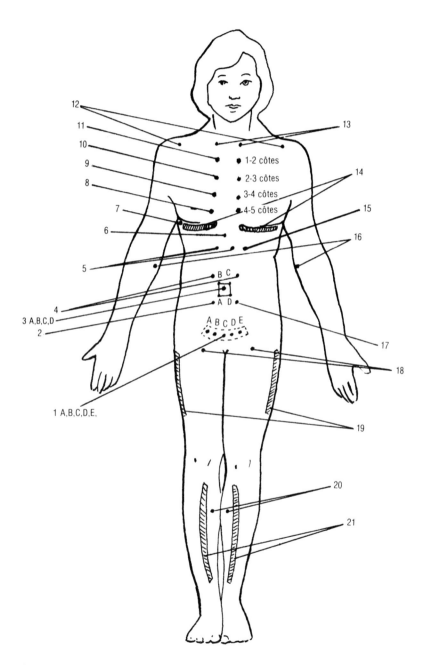

Fig. 18

etc., problèmes chroniques du bas du dos et même lors de troubles mentaux, puisque cette région donne au sang artériel les éléments nutritifs pour nourrir le corps et le cerveau.

Chacun des quatre points traite environ huit centimètres du duodénum. Les points 3C et 3D, à gauche du nombril, touchent aussi l'aorte abdominale qui a des pulsations très fortes sous les doigts lors du massage-réflexe.

4. Situé à 2,5 centimètres (1 pouce) de chaque côté et à 2,5 centimètres (1 pouce) au-dessus du nombril, ce point agit sur les reins. À noter que les surrénales qui coiffent les reins ont leurs points réflexes très près, c'est-à-dire à 2,5 centimètres (1 pouce) de chaque côté et à 5 centimètres (2 pouces) au-dessus du nombril.

5. Pénétrez avec votre index droit en-dessous de la cage thoracique du côté droit et vous toucherez des points réflexes importants du pancréas. Procédez de la même manière à gauche afin d'aider la rate.

6. Logé sur l'extrémité du sternum, ce point aide l'estomac et le plexus solaire.

7. Sous le bras droit, au niveau du mamelon droit, ce point agit sur le foie.

8. Situé entre les quatrième et cinquième côtes, ce point active les poumons et la vésicule biliaire.

9. Logé entre les troisième et quatrième côtes, ce point contrôle la vésicule biliaire et le foie.

10. Situé entre les deuxième et troisième côtes, ce point influence la thyroïde et le cœur.

11. Logé entre la première et la deuxième côte, ce point agit sur la thyroïde et les parathyroïdes.

12. Situé à l'extrémité de la clavicule, ce point influence les bras, les épaules, le cou et active la circulation allant du foie vers le cœur.

13. Situé entre les clavicules et la première côte, ce point est utilisé pour la thyroïde et et les parathyroïdes.

14. Placé sous le sein entre la cinquième et la sixième côte, ce point touche l'estomac à gauche et le foie à droite.

15. Ce point, placé à gauche entre la septième et la huitième côte, active le pancréas.

16. Ce point, situé tout près du coude, régularise la distribution des liquides corporels.

17. Ce point, placé entre l'ombilic et la crête de l'os iliaque, influence votre côlon descendant et votre sigmoïde.

18. Profondément enfoui dans la cuisse, ce point aide le côlon. Pressez jusqu'à ce que vous sentiez l'os.

19. Placé tout le long du muscle appelé «tenseur du fascia lata» sur la cuisse, cette zone massée en descendant arrête la diarrhée et, en montant, élimine la constipation.

20. Ce point est utilisé pour aider la pituitaire. Presque tous les jeunes, qui s'adonnent à la drogue ou qui prennent des médicaments, éprouvent une sensibilité à ce point.

*21. Placé tout le long du tibia, ce point donne de l'énergie à tout le côlon. Massez selon la tolérance car souvent même une légère pression s'avère extrêmement douloureuse.

points réflexes du corps
— côté dorsal

1. Situé sur la partie arrière et latérale de la jambe, ce point aide les jambes et les muscles du corps.

2. Situé sur le côté de la jambe, juste derrière le tibia, ce point diminue les douleurs aux hanches ou aux jambes et stimule la production d'hormones sexuelles.

3. Placé en plein centre du mollet, à l'arrière de la jambe ; pour douleurs aux jambes ou troubles du côlon.

*4. Situé à l'extrémité du coccyx, ce point libère de l'énergie qui touche les organes génitaux, l'estomac et le cerveau.

*5. Logées sur le sacrum, ces huit ouvertures laissent sortir d'importants nerfs du système nerveux sympathique, qui influencent le corps du rectum au cerveau. Si certains de ces points s'avèrent douloureux, vérifiez les organes génitaux.

6. Situé au niveau de la cinquième vertèbre lombaire. Aide à réduire les douleurs aux hanches et aux jambes, de même qu'il libère de l'énergie pour le côlon.

7-8. Situés entre les deuxième et cinquième vertèbres lombaires, ces points vous aideront à vous libérer des troubles du bas du dos.

9. Situé entre la première vertèbre lombaire et la deuxième, ce point agit à gauche sur l'abdomen, le côlon, l'estomac, les cuisses et, à droite, sur l'appendice et la vésicule biliaire.

---

* Prendre note qu'à l'exception des points 4 et 18, tous les points mentionnés sont des paires.

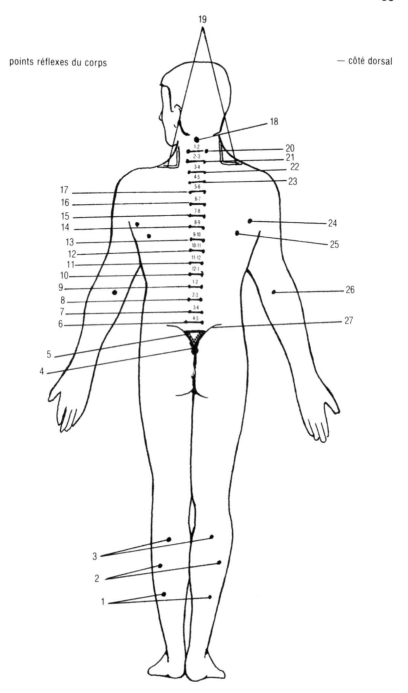

points réflexes du corps — côté dorsal

Fig. 19

*10. Placé entre la douzième vertèbre dorsale et la première vertèbre lombaire, ce point influence les reins.

*11. Situé entre les onzième et douzième côtes, ce point agit sur les surrénales.

12. Situé entre les dixième et onzième vertèbres dorsales, ce point agit sur les surrénales et l'intestin grêle.

13. Intercalé entre les neuvième et dixième vertèbres dorsales, ce point influence l'intestin grêle à gauche et le diaphragme à droite.

14. Intercalé entre les huitième et neuvième vertèbres dorsales, ce point agit sur l'intestin grêle.

*15. Situé entre les septième et huitième vertèbres dorsales, ce point touche le pancréas à droite et la rate à gauche.

16. Placé entre les sixième et septième vertèbres dorsales, ce point aide votre diaphragme.

17. Situé entre les cinquième et sixième vertèbres dorsales, ce point touche l'estomac à gauche et le foie à droite.

*18. Situé sur la septième vertèbre cervicale (là où le cou s'attache aux épaules), ce point aide la pituitaire, la thyroïde et chacun des os du corps. Si une fracture osseuse se produit, ce point devient très douloureux.

19. Placé sur l'origine du muscle trapèze, ce point s'avère un carrefour important de tensions à éliminer si vous désirez relaxer.

20. Situé entre les première et deuxième côtes, ce point agit sur la thyroïde et les parathyroïdes.

21. Logé entre les deuxième et troisième côtes, ce point donne de l'énergie à la thyroïde et au cœur.

22. Placé entre les troisième et quatrième vertèbres dorsales, ce point influence les poumons et la vésicule biliaire.

23. Ce point, situé entre les quatrième et cinquième vertèbres dorsales, agit sur les poumons.

24. Situé sur la partie postérieure de l'articulation de l'épaule, ce point peut difficilement être massé par la personne elle-même, mais il s'avère très important dans le traitement de bursite ou d'autres problèmes à l'épaule ou au bras.

25. Ce point se trouve sous les omoplates, entre les huitième et neuvième côtes; il influence les organes génitaux.

26. Ce point, situé à l'extrémité de chaque coude, (pliez d'abord le coude pour le trouver facilement) agit sur les parathyroïdes et aide au contrôle du glucose chez les diabétiques ou les hypo-glycémiques.

*27. Ce point, situé tout le long de la crête iliaque de votre bassin, active la fonction intestinale, aide la digestion et favorise le métabolisme des protéines. À masser chaque jour pour résoudre un problème d'embonpoint, puisque l'obésité s'associe souvent à un ralentissement de la fonction intestinale.

sommaire

Souvent, les pieds, les mains et le visage sont plus faciles à masser que le reste du corps ; j'ai quand même tenu à vous donner les points réflexes des faces frontales et dorsales (18 et 19) puisque certains points très précieux s'y trouvent.

Les mains renferment les mêmes zones que les pieds, mais parce qu'elles sont plus petites et qu'elles reçoivent beaucoup plus de massage que les pieds sous l'action des travaux quotidiens, il est plus difficile d'en travailler les zones réflexes avec succès. Cependant, certains points donnent des résultats merveilleux lorsqu'ils sont massés. De plus, la main a l'avantage d'être facile à utiliser.

Le visage renferme d'excellents points également faciles d'accès. Trois problèmes très importants peuvent y trouver leur solution. Ce sont les maux de tête, la constipation et la paralysie.

De fait, dans les prochains chapitres, je tenterai d'extraire pour vous, parmi les centaines de points dispersés sur tout le corps, les points-maîtres qui, au cours de ma pratique en réflexologie, se sont avérés vraiment efficaces.

VI
réflexologie et les glandes endocrines

description des glandes

Les glandes endocrines comprennent la thyroïde, les parathyroïdes, les surrénales, le pancréas, la pituitaire, la pinéale et les gonades (ovaires et testicules). Elles sont les gardiennes invisibles du corps et elles influencent toutes les activités de la vie, y compris le comportement mental.

la pituitaire (ou hypophyse)

Elle se situe à la base du cerveau, dans la selle turcique. Elle se compose de deux lobes reliés par une tige. Le lobe antérieur a une fonction hormonale très importante puisqu'il produit une hormone de croissance, une hormone de contrôle de la thyroïde, une hormone de contrôle des ovaires et des testicules et une hormone qui active la sécrétion du lait dans les glandes mammaires ; il active, de plus, le cortex surrénalien avec l'A.C.T.H. ; stimule la production d'urine et contrôle le métabolisme du corps en lui évitant la maigreur ou l'obésité.

Le lobe postérieur secrète la pituitrine qui agit sur le système circulatoire, les muscles lisses, l'absorption de l'eau par les reins et le métabolisme du sucre. Ce lobe permet d'élever la tension artérielle, de ralentir les pulsations cardiaques et d'augmenter le nombre de respirations. Une déficience de ce lobe affecte plusieurs systèmes du corps et cause le diabète insipide.

Quand le lobe postérieur de la glande domine, la personnalité a une forte tendance à la féminité avec sa tendresse, sa sentimentalité et sa structure particulière. Au contraire, le lobe antérieur stimule les caractéristiques masculines. La personne, dont le lobe antérieur domine, fait montre d'une intelligence considérable, théorique et pratique et elle devient un philosophe, un créateur et un inventeur. (22)

Bien que pesant seulement 1/40e d'une once, elle joue un rôle primordial dans l'harmonie des autres glandes endocrines et elle est appelée *chef d'orchestre glandulaire.*

la pinéale

Quoique très petite (grosse comme un grain de blé), elle joue, paraît-il, un rôle important. Elle se situe au milieu du cerveau. À travers les âges, nombreuses sont les personnes qui l'ont considérée comme étant le siège de l'âme ou le «troisième œil».

Aujourd'hui, la science a prouvé qu'elle joue un rôle actif dans le cycle des gonades. Dans le noir et sans stimulus, la pinéale produit de la mélatonine et de la sérotonine. Cette dernière vient faire cesser le travail des gonades, leur permettant un rythme lumière-travail, suivi de noirceur-repos. (23)

On croit, de plus, qu'elle a d'autres rôles mal connus des scientistes.

la thyroïde

On la retrouve à la base du cou. Elle se compose de deux lobes réunis par un isthme. Elle produit deux hormones: la thyroxine et la tri-iodothyroxine. Ces hormones sont composées de carbone, d'hydrogène, d'azote et d'oxygène.

Elle contient la majeure partie de l'iode du corps. Quoiqu'elle n'en contienne au plus que huit milligrammes (environ 1/2,000^e d'une once), sa concentration est 60,000 fois plus élevée que n'importe où ailleurs dans le corps. (24)

Ses hormones sont associées au bon développement physique, à la santé de la peau et des cheveux, à la stabilité nerveuse puisqu'elle aide à contrôler l'excitabilité des fibres nerveuses et à l'utilisation de l'oxygène dans le corps, afin que chaque cellule reçoive sa ration d'oxygène.

les parathyroïdes

Elles sont au nombre de quatre, bien encastrées dans la thyroïde. Elles ont comme fonction primordiale de régulariser le taux de calcium en sécrétant la parathormone. La concentration de calcium ne doit varier que de très peu dans le sang, sinon l'équilibre des électrolytes du sang est perturbé et ni les muscles ni les nerfs ne peuvent bien fonctionner.

les surrénales

Elles représentent deux capsules coiffant les reins. Elles influencent toutes nos activités, notre vigueur, notre courage et notre habileté à supporter le stress quotidien. Elles sont formées de deux parties: l'enveloppe extérieure (ou cortex) et le noyau intérieur (ou moelle). Le cortex produit les hormones corticoïdes (telle que la cortisone) et la moelle secrète l'adrénaline et d'autres hormones (telle que la noradrénaline).

Les hormones du cortex agissent sur les métabolismes hydrominéral, protidique, lipidique et glucidique; les hormones de la médulla-surrénale accélèrent les battements cardiaques, augmentent la circulation et élèvent le taux de sucre. La peur stimule la production d'adrénaline tandis que la noradrénaline tend à provoquer la colère et la réaction de défense. (25)

On prétend que le timide et l'introverti possèdent des surrénales qui ne produisent pas suffisamment de noradrénaline et qui libèrent beaucoup d'adrénaline.

Hans **SELYE**, ce renommé chercheur montréalais de réputation internationale, a souligné la grande diversité des agressions capables d'activer le couple hypophyso-surrénalien et de provoquer une décharge d'hormones (froid, brûlure, chaleur, émotion, etc.). Cette réaction neuro-endocrinienne se déroule en trois phases successives: 1. réaction d'alarme, 2. stade de résistance qui traduit l'adaptation de l'organisme et 3. stade d'épuisement dont l'apparition dépend des possibilités de résistance ou d'adaptation de l'organisme. (26)

le pancréas

Le pancréas se situe dans l'abdomen derrière l'estomac, entre le duodénum et la rate. Il se compose d'une tête, d'un corps et d'une queue. On le nomme *glande salivaire abdominale*, car lorsque nous goûtons ou sentons la nourriture, il déverse ses sucs digestifs dans le duodénum, en même temps que les glandes salivaires se déchargent dans la bouche. (27) Il produit une pinte de sucs digestifs par jour, sucs qui renferment des enzymes pour la digestion des protéines, des lipides et des hydrates de carbone.

La queue renferme des cellules particulières appelées *îlôts de Langerhans* qui produisent une hormone très importante: l'insuline. Cette hormone cruciale règle le taux de sucre dans le sang et permet l'accumulation de glycogène au niveau des muscles et du foie.

Il produit aussi le glucagon, hormone antagoniste de l'insuline, chargée de monter la glycémie et de participer à l'excrétion de substances inorganiques par les reins, tels le sodium, le potassium, le calcium et le phosphore.

le thymus

Le thymus se situe derrière le sternum dans la cage thoracique. Bien développé chez l'enfant, il s'atrophie à la puberté et à l'âge adulte, il devient petit et fibreux. Il possède deux lobes.

Les scientifiques affirment qu'il représente une source très importante de lymphocytes, globules blancs du sang associés à la protection contre les infections. Hans **SELYE**, dans ses recherches sur le stress, mentionne le thymus comme un organe impliqué avec les surrénales et les glandes lymphatiques dans la réponse que fournit le corps face au stress. (28)

Étant donné sa dégénérescence après la puberté, il est probablement associé au développement des caractéristiques sexuelles secondaires. On le croit aussi associé à la fonction neuro-musculaire.

les gonades

Elles comprennent les ovaires et les testicules. Les ovaires sont des glandes doubles, situées dans le bassin ; elles ont la forme et la dimension d'une amande. Tout au long de la période de fertilité, les ovaires fourniront environ trois cents ovules lors de cycles qui dureront environ vingt-huit jours. Ces cycles comportent trois phases : formation d'un ovule, ovulation et formation du corps jaune chargé de permettre à l'ovule de se développer dans l'utérus, en cas de grossesse. En plus de la production des ovules, ils fournissent des hormones appelées œstrogène et progestérone. Les œstrogènes ont la particularité de promouvoir la prolifération de certaines cellules dans certaines régions du corps (hanche, cuisse, pubis, utérus, vagin, mamelon) ; elles tiennent sous leur dépendance l'instinct sexuel de la femelle et elles interviennent dans le métabolisme du calcium, dans celui de l'eau en augmentant le pouvoir de rétention de l'eau et même dans le métabolisme glucidique.

La progestérone, appelée aussi lutéine, augmente la sécrétion des glandes mammaires et également celle des cellules de la membrane interne de l'utérus ; elle empêche les contractions de l'utérus et prévient l'expulsion de l'ovule fertilisé.

Les testicules, organes mâles de la reproduction, sont deux glandes ovoïdes siégeant dans les bourses ou scrotum. Ils ont comme fonction de former les spermatozoïdes au nombre de 200,000,000 par jour ; de plus, ils produisent des hormones appelées testostérone, androstérone et déhydroandrostérone.

La plus active des hormones est la testostérone, qui fait augmenter le volume des testicules afin de faciliter la formation des spermatozoïdes; elle agit sur les caractéristiques sexuelles mâles lors de la puberté en activant le développement des testicules, du scrotum et du pénis qui augmente environ jusqu'à dix fois de volume. Elle agit, en plus, sur les traits sexuels secondaires, tels que la poussée de poils sur le visage, l'abdomen, le pubis et la poitrine. Elle peut même causer la calvitie chez ceux qui ont une prédisposition héréditaire. Elle augmente la croissance du larynx, permet la mue de la voix et amène l'apparition des caractères mâles du psychisme et de l'instinct sexuel. Son action se manifeste aussi sur le métabolisme des lipides.

situation des glandes endocrines et de leurs réflexes

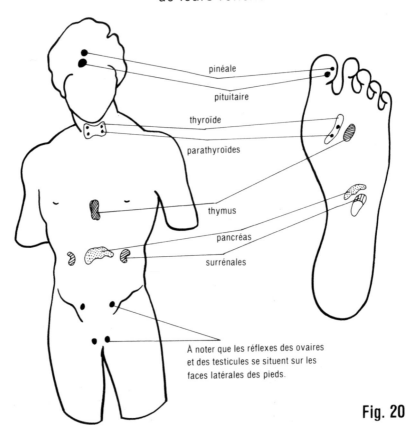

pinéale

pituitaire

thyroïde

parathyroïdes

thymus

pancréas

surrénales

À noter que les réflexes des ovaires et des testicules se situent sur les faces latérales des pieds.

Fig. 20

massage des zones réflexes des glandes endocrines

● pituitaire

Pour activer la pituitaire, massez le point réflexe situé au centre du gros orteil ou au centre du pouce. Il serait préférable, pour ce point, d'utiliser l'extrémité d'un crayon, car la pituitaire est petite et sa zone réflexe, de la grosseur d'une tête d'épingle. Je vous recommande de vous servir de votre pouce pour le massage. De plus, vous pouvez masser les lobes gauche et droit simultanément, à l'aide de deux crayons.

Un autre point réflexe important se situe sur le front. (Voir figure 17, point 16).

● pinéale

La zone réflexe de la pinéale se situe juste un peu au-dessus de celle de la pituitaire, sur le pouce ou sur le gros orteil, en allant vers l'intérieur.

● thyroïde

La zone réflexe de la thyroïde est située en bas du gros orteil, dans la première et la deuxième zone de chaque pied. Le massage doit s'effectuer avec une pression de moyenne intensité, les réflexes étant bien enfoncés dans leur nid.

Un autre point important pour la thyroïde se trouve sur la septième vertèbre cervicale, là où le cou rejoint les épaules (voir figure 19, point 18).

La thyroïde, la pituitaire et les gonades sont étroitement reliées dans leur travail et un dérèglement qui se produit chez l'une entraîne souvent un mauvais fonctionnement chez les partenaires. Donc, règle importante pour améliorer son bien-être physique: massez tout le système endocrinien au complet, afin qu'il puisse jouer une belle symphonie glandulaire sans fausse note.

• parathyroïdes

Les quatre petites parathyroïdes sont atteintes plus facilement sous le pied que dans la main. En général, elles sont suffisamment touchées lors du massage de la zone réflexe de la thyroïde. Néanmoins, si un problème particulier s'y trouvait, vous pourriez les toucher en appuyant un peu plus fermement que pour la thyroïde.

• thymus

La zone réflexe du thymus se situe exactement au centre du pied. Elle trouve généralement suffisamment de stimulation ; vous n'avez donc pas à vous en préoccuper.

• surrénales

Les points réflexes des surrénales se trouvent tout près de ceux des reins, presqu'au centre de chaque pied. Coiffant les reins, elles obtiennent souvent leur part de massage sans que vous ne les touchiez particulièrement.

Pour stimuler les surrénales, John F. **THIE**, D.C., dans son livre *Touch For Health*, insiste sur le massage des points situés à cinq centimètres de chaque côté de l'ombilic et également à 2,5 cm plus haut que ce dernier ; de même que les points situés à 2,5 cm de chaque côté de la colonne vertébrale, entre la dixième et onzième vertèbre dorsale et entre la onzième et douzième vertèbre dorsale. (Voir figure 18, point 4 et figure 19, point 11).

• gonades

Les zones réflexes des gonades font exception puisqu'on les retrouve, non pas sous les pieds, mais de chaque côté des deux pieds. Les zones réflexes des testicules, chez l'homme et les zones réflexes des ovaires, chez la femme, se trouvent au milieu de la distance séparant les malléoles (appelées souvent chevilles) et le talon, à l'extérieur du pied.

Les zones réflexes de la prostate, chez l'homme et les zones réflexes de l'utérus, chez la femme, sont également situées entre les malléoles et le talon, mais à l'intérieur du pied.

indications de massage du système endocrinien

l'arthrite

L'arthrite et ses consœurs (arthrose, rhumatisme, etc.) frappent des milliers de gens depuis le début des temps et causent des souffrances innombrables à l'humanité.

Bien que le mot arthrite signifie *inflammation des articulations*, il est important de noter que l'arthrite est un dérèglement qui n'affecte pas que les articulations, mais qui touche le corps dans son intégrité. Cette suffocation biochimique qu'est l'arthrite, se produit lorsque la digestion et l'assimilation ralentissent, que le corps souffre de carences de vitamines ou de minéraux,* que des intoxications par les métaux lourds (mercure, plomb, arsenic, cadmium, etc.) s'insinuent progressivement dans le corps, que la circulation et l'élimination des déchets marquent un ralentissement et que le système endocrinien joue moins bien sa symphonie glandulaire.

Chaque fois qu'un point réflexe est pressé, il envoie une charge d'énergie vitale magnétique qui traverse le corps pour aboutir à la zone stimulée. Ainsi, vous pouvez éliminer les court-circuits et enlever la suffocation biochimique pour redonner aux articulations leur souplesse et soulager de beaucoup la douleur qui accompagne l'arthrite.

---

* Je vous recommande très fortement de faire analyser vos cheveux pour connaître le taux de concentration de vingt minéraux de base de vos cellules. Pour obtenir des informations, écrivez à Mineral Lab. Inc., 22455 — Maple Court Hayward, Ca. 94541, U.S.A.

Les premiers points à masser sont ceux des glandes endocrines. Commencez par la pituitaire; vous toucherez en même temps la pinéale. Appliquez une pression modérée pour les premiers traitements et ne travaillez que deux ou trois minutes seulement, ceci pour ne pas surcharger les reins de déchets accumulés depuis longtemps. Par la suite, vous traiterez les points importants pendant une dizaine de minutes, en pressant davantage.

Vous toucherez ensuite la zone de la thyroïde, en dessous du gros orteil et vous presserez fermement pour atteindre les parathyroïdes. Ensuite, vous poursuivrez avec le massage des réflexes des surrénales, presqu'au centre du pied et, de là, vous irez à la zone réflexe du pancréas, car très souvent, le délicat équilibre du métabolisme des hydrates de carbone est perturbé lorsque les articulations ont des problèmes. Comme la zone réflexe du pancréas est près de celle des surrénales, vous pourrez masser les deux presque simultanément. De là, vous toucherez la zone réflexe des gonades.

Finalement, vous devrez déterminer la situation des points reliés directement aux articulations douloureuses en étudiant les figures 13, 14, 15 et 16.

Et enfin, vous compléterez le massage en couvrant les pieds dans leur ensemble.

Soyez confiants et pensez que la nature vous permet d'augmenter votre production d'hormones sans avoir à recourir aux infiltrations de cortisone, souvent suivies d'effets secondaires dévastateurs.

La durée du traitement varie de quelques semaines à quelques mois, selon la gravité de la condition physique.

le diabète

Le pancréas vous fournit l'insuline nécessaire à l'utilisation normale des sucres et des gras. Lorsqu'il ne peut produire suffisamment d'insuline, le sang contient trop de sucre et les symptômes suivants se développent: soif incessante, miction fréquente, démangeaison de la peau, perte de poids, vomissement, nausée, migraine et même coma. La résistance aux infections devient faible. Le pancréas est un organe d'une sensibilité exceptionnelle et qui répond rapidement aux abus alimentaires par un dérèglement du taux de sucre, carburant essentiel du cerveau et des muscles.

Vous pouvez stimuler cette glande et la remettre en bon état de fonctionner normalement. Pour cela, il faut masser les pieds en haut de la zone réflexe des reins, entre la zone réflexe des surrénales et celle derrière l'estomac. De plus, vous avez un point important situé entre la septième et la huitième côte, près du cartilage en avant du thorax, à gauche, de même qu'au dos à 2,5 cm de chaque côté de la colonne vertébrale entre la septième et la huitième vertèbre dorsale. (Voir figure 18, point 15 et figure 19, point 15).

Vous pouvez aussi stimuler les doigts et les orteils des zones un, deux, trois, puisqu'elles sont reliées au pancréas.

N'oubliez pas de masser les zones réflexes des glandes reliées au pancréas : pituitaire et surrénales. De plus, le foie joue un rôle très important dans l'équilibre du taux de sucre et sa zone réflexe doit recevoir sa part de massage. Naturellement, il faudra suivre une diète convenable.

Le traitement dure de six mois à un an car l'ajustement du pancréas s'effectue plus lentement que pour la plupart des autres organes. Surveillez la quantité d'insuline que vous injectez car votre propre insuline sera produite en plus grande quantité. Travaillez de concert avec votre médecin pour diminuer le dosage des injections.

hypoglycémie

L'hypoglycémie est un état très désagréable qui se manifeste lorsque le pancréas secrète trop d'insuline en réponse à une quantité exagérée d'hydrates de carbone. C'est l'inverse du diabète. Son incidence est fréquente ; des auteurs reconnus mondialement dans le domaine de la nutrition, tel que le grand biochimiste américain Carlton **FREDERICK** estiment que dix pour cent de la population américaine est touchée par ce problème. (29) C'est deux fois plus que le nombre de diabétiques estimé à trois ou quatre pour cent de la population.

Étant donné que le glucose sanguin est la source d'énergie de chacune des soixante trillions de cellules de notre corps (environ 600 fois plus nombreuses que les étoiles de la voie lactée), il est capital que le taux sanguin demeure dans les limites de la normale (80–120 mg/ 100 ml), sinon une myriade de symptômes divers surgissent parmi lesquels les plus fréquents sont les suivants : sensation de faim incontrôlable, insomnie en plein milieu de la nuit (vers trois heures a.m.), concentration mentale très diminuée, migraine, allergies, dépression, etc. C'est la maladie aux quatre-vingt-dix-neuf symptômes qui mime la névrose ou la psychose.

Bien qu'il faille se garder d'imputer tous les troubles mentaux à l'hypoglycémie, j'ai la conviction profonde que des millions d'individus ruinent leur vie et souffrent de ne pas être en pleine possession de leurs facultés mentales à cause d'un taux de sucre sanguin trop bas. Ma conviction est appuyée par des preuves concrètes ; c'est ainsi que J.I. **RODALE** a écrit *Natural Health Sugar And The Criminal Mind*, et celui-ci croit qu'encore plus que l'alcool et la drogue, l'abus des sucres concentrés peut causer des crimes et de la délinquance juvénile. Dans le magazine *Prévention* de mai 1978, un officier de probation auprès de jeunes délinquants, madame Barbara **REED**, oriente ses jeunes vers une bonne nutrition et, pour plusieurs, c'est le premier pas hors des sentiers du crime et vers une vie normale.

Herbert L. **NEWBOLD**, M.D., psychiatre de New York, vérifie le taux de sucre de tous ses patients, car il affirme qu'un taux de sucre normal est essentiel pour l'équilibre mental. Tel est l'avis du médecin montréalais Jean-Paul **DURUISSEAU**, dans son livre *La mort lente par le sucre* et celui du docteur **ABRAHAMSON**, dans son livre *Le Corps, l'Esprit et le sucre*. Le sujet est tellement important que je pourrais écrire un livre complet et bien documenté sur lui.

Il va sans dire que le sucre n'est pas le seul coupable de l'hypoglycémie, car l'alcool, le thé, le café et le chocolat ainsi que les allergies alimentaires causent souvent ce problème.

La réflexologie aide à corriger ce déséquilibre pas suffisamment connu mais si dangereux. Il est bien évident que vous devez masser la zone réflexe du pancréas, de même que celles des surrénales, de la pituitaire, du thymus, des gonades et de la thyroïde. La zone réflexe du foie doit également être massée car il est souvent une des causes de l'hypoglycémie.

Si vous pensez être affecté par ce problème, demandez à votre médecin un test de tolérance au glucose de six heures et alors, avec une alimentation sans sucre concentré et avec la réflexologie, votre système glandulaire retrouvera son harmonie, vous redonnant du même coup santé et bien-être physiques et psychiques.

la fatigue

Plusieurs problèmes de santé proviennent d'un mauvais fonctionnement du système endocrinien. Par exemple, souvent la fatigue chronique est liée à une congestion de la thyroïde et des surrénales. De même, la pituitaire peut aussi en être responsable si elle ne fonctionne pas normalement.

Si vous êtes aussi fatigué le matin au lever qu'avant de vous coucher, allez-y pour le massage des zones réflexes de ces glandes. Massez environ dix minutes vos points douloureux.

Pour obtenir une rapide augmentation d'énergie, massez quelques secondes (environ trente) la zone réflexe de la thyroïde, puis continuez sur la zone réflexe de la pituitaire et terminez par la zone réflexe des gonades. Allez ensuite à la zone réflexe de la rate qui représente un réservoir d'énergie vitale et un producteur de globules rouges. Vous la trouverez sous le pied gauche seulement. Placez vos doigts sous le petit orteil (cela représente la zone réflexe du cœur), puis descendez juste en-dessous de ce bourrelet et vous trouverez la zone réflexe de la rate. Complétez le traitement par un massage général des pieds.

Vous devez utiliser la réflexologie lorsque vous êtes particulièrement fatigué, comme par exemple après un long voyage en auto, après une journée de bureau harassante, etc. Vous pourrez recharger vos accumulateurs nerveux et ceux de votre famille par la réflexologie.

le goitre

Lorsque la thyroïde s'hypertrophie progressivement, elle provoque un état de nervosité, d'appréhension et de malaise général, appelé goitre. Souvent, le goitre devient *exophtalmique* et il s'accompagne d'une pulsation très rapide (150 ou plus), avec les globes oculaires saillant hors des orbites parce qu'une trop forte pression s'exerce sur eux.

Pour soigner cette maladie, pratiquez la réflexologie et prenez de l'iode en supplément. Le docteur **FitzGerald**, pionnier dans ce domaine, a affirmé que c'était l'une des affections qu'il était le plus certain de corriger. Il utilisait un stylet pour toucher les parois post-nasales et il demandait au patient de presser les joints du pouce, du deuxième et du troisième doigts avec une bande élastique pendant dix à quinze minutes, trois ou quatre fois par jour. Son expérience lui a prouvé qu'il fallait de deux à huit mois pour ramener la thyroïde à son état normal. Il mentionne également que souvent un mauvais état des dents est impliqué dans ce problème.

la vieillesse prématurée

Depuis des temps immémoriaux, l'humanité a cherché des moyens de garder ou de retrouver la jeunesse. C'est ainsi que des hommes mirent leur espoir dans la fontaine de Jouvence, la pierre philosophale ou les élixirs de jeunesse sans beaucoup de résultats.

Il est un fait scientifique établi que tout être vivant peut vivre de sept à quatorze fois le temps qu'il lui faut pour arriver à sa maturité. Or, l'homme atteint sa maturité à l'âge de vingt ans ; donc, l'homme devrait vivre au moins cent quarante ans. (30)

En plaçant une parcelle de tissu cardiaque prélevé sur le coeur d'une poule dans un milieu adéquat, le docteur Alexis **CARREL**, savant de réputation internationale, a réussi à garder au-delà de trente ans ce tissu en vie. Il suffisait de le nourrir et d'en éliminer quotidiennement les déchets.

Pourquoi ne pas tenter de vivre jusqu'à un âge avancé tout en se tenant en forme physique et mentale? La réflexologie vous permettra de ralentir l'horloge biologique qui marque le temps de passage de tout être humain sur terre.

Une fois de plus, votre système glandulaire doit être surveillé. Massez toutes les zones réflexes de vos glandes endocrines, en accordant une attention spéciale aux glandes génitales. Il est de beaucoup préférable d'augmenter sa propre production naturelle d'hormones plutôt que de recevoir des hormones synthétisées chimiquement; c'est ainsi que l'administration orale d'œstrogènes ou d'androgènes a reçu ces derniers temps de sérieux avertissements concernant leur potentialité cancérigène. Avec la réflexologie, le corps peut équilibrer sa production hormonale plus adéquatement.

Le foie devra également recevoir sa part de stimulation.

VII
réflexologie et
le système nerveux

description du système nerveux

Le système nerveux est le centre de commande de toutes les activités corporelles tant physiques que psychiques. Les organes sensoriels internes et externes fournissent les données aux centres nerveux supérieurs par les nerfs sensitifs; les centres nerveux dirigent ensuite les réponses à ces messages par les nerfs moteurs jusqu'aux muscles. La plupart des nerfs ont des fibres sensitives et motrices, mais habituellement, il s'y trouve toujours un des deux types qui prédomine.

Le système nerveux a comme unité structurale le neurone. Chaque neurone comprend le cytone (renfermant le cytoplasme et son noyau en plus d'un grand nombre d'organites), la dendrite (prolongement du cytoplasme qui s'irradie autour du cytone), l'axone (prolongement unique du cytoplasme transportant les messages en dehors de la cellule) et les corps de Nissl (masses granuleuses irrégulières se trouvant dans le cytone et les gros troncs dendritiques).

Le système nerveux se divise en deux grandes parties: le système nerveux cérébro-spinal et le système nerveux neuro-végétatif.

le système nerveux cérébro-spinal

Le système nerveux cérébro-spinal se divise en deux parties : le système central et le système périphérique. Le système nerveux central comprend la moelle épinière et l'encéphale. La moelle épinière est la partie des centres nerveux qui occupe le canal rachidien ; elle s'étend de la base du crâne jusqu'à la deuxième vertèbre lombaire. L'encéphale est l'ensemble des centres nerveux contenus dans la boîte crânienne ; il comporte le cerveau, le tronc cérébral et le cervelet.

Comme tous les organes du système nerveux, le cerveau se développe aux dépens de l'ectoderme. L'ectoderme représente un feuillet embryonnaire externe qui donne naissance également à la peau. (31) Ce fait est particulièrement important, car la peau et le système nerveux, ayant la même origine, sont intimement liés. À cause de ce lien, rappelez-vous que lorsque vous massez votre peau, vous agissez en profondeur sur votre système nerveux.

Le cerveau, organe très complexe, se divise en deux hémisphères sillonnés de scissures. La science a mis en lumière récemment le rôle de chacun de ces hémisphères. L'hémisphère gauche est le centre du langage et de la pensée abstraite. Les gens, dont l'hémisphère gauche prédomine, ont un vocabulaire riche, varié et des réponses complètes et détaillées ; cependant, ils ne peuvent bien comprendre le sens des intonations et ils ont de la difficulté à identifier si le ton de la voix est interrogatif ou colérique.

Quant à ceux dont l'hémisphère droit prédomine, ils ont une amélioration sélective de tout ce qui concerne la perception des images ; ils trient très vite les dessins identiques et trouvent rapidement les détails manquants. Ils peuvent mémoriser des figures, des formes bizarres et les retrouver après plusieurs heures. (32)

Les deux hémisphères ne sont pas indépendants : ils se complètent. Nous, les Occidentaux, nous faisons travailler beaucoup notre hémisphère gauche et nous oublions d'utiliser l'imagerie mentale, instrument de l'hémisphère droit. C'est pourquoi des auteurs aussi célèbres que Joseph **MURPHY**, Emmet **FOX**, Frederic W. **BAILES**, Ernest **HOLMES**, etc. recommandent tous la relaxation et la *visualisation* de nos rêves les plus chers.

Nous devons et pouvons programmer notre hémisphère droit en étant très attentif aux vérités que nous acceptons comme vraies. Le cerveau code ces vérités sous forme d'images et, tôt ou tard, nous voyons dans notre vie la réalisation du programme soumis au plus merveilleux des ordinateurs. De plus, comme il est branché sur l'infini, nous avons en potentiel la capacité de réaliser des phénomènes fantastiques, tels la télépathie, la clairvoyance, la télékinésie, la psychométrie, etc. Nos seize milliards de neurones sont là à attendre une programmation positive. Après tout, n'est-il pas vrai que les scientistes affirment que nous exploitons au maximum dix pour cent de notre capacité cérébrale ?

Le cerveau comprend quatre lobes : le frontal, le pariétal, le temporal et l'occipital. Le lobe frontal est le siège des centres psychomoteurs et les trois autres sont le siège des centres sensoriels.

La quantité de sang qui circule à travers le cerveau est estimée à environ une pinte par minute. De plus, le cerveau établit une barrière qui filtre les éléments nutritifs d'une façon spéciale. C'est ainsi que lorsque du sodium est injecté dans le sang, il est retrouvé dans d'autres parties du corps quelques minutes après, mais il ne sera détecté qu'après soixante heures ou plus dans le cerveau. (33) Il semblerait que des cellules *astrocytes*, que l'on retrouve par billions dans le système nerveux, permettent ce phénomène.

Le tronc cérébral renferme le bulbe rachidien (où se fait l'entrecroisement des nerfs) et le pont de Varole (le centre de la respiration, de la déglutition, de la sécrétion salivaire, de la toux, des éternuements, des vomissements, des sécrétions lacrymales et du réflexe palpébral s'y trouvent).

Le cervelet se compose essentiellement de deux lobes latéraux et d'un lobe médian. Il est essentiellement un centre de coordination des mouvements. Les enveloppes protectrices du système nerveux central s'appellent les méninges ; elles sont au nombre de trois : la dure-mère, l'arachnoïde et la pie-mère. Du liquide céphalo-rachidien circule dans des cavités appelées ventricules.

Le système nerveux périphérique se compose de nerfs crâniens au nombre de douze paires et de nerfs rachidiens au nombre de trente et une paires.

le système nerveux neuro-végétatif

Il se divise également en deux parties: sympathique et parasympathique. Le système nerveux sympathique renferme des centres situés tout au long de la moelle épinière, des ganglions sympathiques placés de chaque côté de la colonne vertébrale et des nerfs. Au voisinage des viscères, les ganglions forment des enchevêtrements appelés « plexus »; les principaux sont les plexus cardiaque, solaire, mésentérique et hypogastrique. Le sympathique innerve les muscles lisses, le muscle cardiaque et les glandes endocrines.

Il stimule l'organisme. C'est ainsi qu'il accélère le cœur, diminue le calibre des artérioles, dilate l'iris et les bronches, augmente les sécrétions des glandes sudoripares, etc.

Le système nerveux parasympathique renferme une partie centrale et des ganglions. Il innerve les mêmes régions que le sympathique mais son action est antagoniste. C'est ainsi qu'il ralentit le cœur, augmente le calibre des artérioles, contracte la pupille et les bronches, amène une salive claire et abondante et diminue les sécrétions des glandes sudoripares.

L'ensemble de votre système nerveux est incomparable et il faut s'émerveiller de ce système qui produit à chaque seconde de chaque journée des milliards d'impulsions nerveuses.

indications de massage du système nerveux

tension et douleur dans le dos

La colonne vertébrale est très importante. Les ostéopathes et les chiropraticiens affirment avec raison qu'un alignement parfait de la colonne est vital pour le bien-être d'une personne; ils affirment que plus de quatre-vingts pour cent des problèmes impliquant des vertèbres sont reliés à de la tension musculaire. La réflexologie est un instrument de choix pour enlever cette tension et ainsi permettre aux vertèbres de s'aligner parfaitement.

Cela n'exclut pas les traitements d'un spécialiste, si besoin est, mais avant de tenter toute démarche auprès d'un praticien de la santé, **utilisez les zones réflexes** et souvent, comme par enchantement, le problème disparaîtra avant la visite.

Il semble que l'évolution subie par l'homme quand il passa de la marche à quatre pattes à la station debout, a amené certains de ses muscles à se modifier pour remplir leurs nouvelles fonctions. Un des grands changements prit place dans le psoas (muscle important qui va de la colonne vertébrale, passe à travers l'abdomen et s'arrête sur le bord du pubis, à la partie interne de la cuisse).

psoas

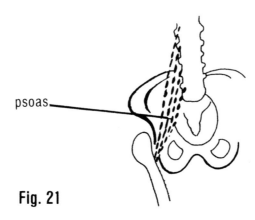

Fig. 21

D'après **Arthur A. MICHELE**, M.D., trente pour cent des nouveau-nés sont affectés par un trouble du psoas, car l'évolution de l'iliopsoas n'a pas été uniforme pour tous les hommes. Le psoas, étant la clé de voûte de l'équilibre musculaire, cause de multiples problèmes à l'organisme : pauvre maintien, hernie discale, fracture de la colonne, pauvre fonctionnement des organes internes, problèmes circulatoires, arthrose de la hanche ou du genou, chutes fréquentes chez les enfants, pieds plats, chevilles faibles, etc.

Le docteur **MICHELE** croit aussi que la position du fœtus dans le sein maternel amène de la tension sur les muscles et sur les joints en formation. À noter que le bébé croise ses jambes et, de toutes les créatures, seul l'homme a cette position dans l'utérus. (34)

Pour aider le psoas, massez deux points situés en avant de votre corps, à 2,5 cm de chaque côté de l'ombilic et à 2,5 cm plus haut que celui-ci, de même que deux points dans votre dos, situés entre la douzième vertèbre dorsale et la première lombaire, juste sous les dernières côtes, à 2,5 cm de chaque côté de la colonne vertébrale. Un psoas équilibré fera beaucoup pour vous garder une colonne vertébrale bien alignée. (Voir figure 18, point 4 et figure 19, point 10.)

Puisque la colonne vertébrale est au centre du corps, elle se situe dans la zone un de chaque pied, allant du gros orteil jusqu'au talon. Si vous comprenez que le gros orteil représente la tête et que la colonne vertébrale doit suivre logiquement la tête, vous trouverez aisément les bons points correspondants aux problèmes de votre dos.

Si votre douleur se trouve dans la région lombaire, descendez vers le talon et lorsque votre problème est localisé, massez lentement au début, car les réflexes de la colonne vertébrale sont en général très douloureux. Vous pourriez masser ce réflexe très longtemps même si c'était la première fois, allant jusqu'à vingt minutes.

Le lumbago (tour de reins) répond très vite à la réflexologie et souvent, avec un seul traitement, vous pouvez soulager la douleur. Une technique des plus efficaces consiste à utiliser un peigne ordinaire (de préférence en métal). Il s'agit de presser les dents du

Fig. 22

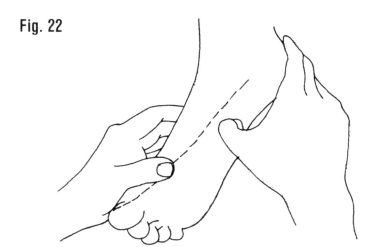

La ligne pointillée indique la zone réflexe de la colonne vertébrale.

peigne contre la surface interne des doigts de chaque main ou contre les paumes des mains. Ces pressions peuvent durer de dix à vingt minutes.

De plus, vous pouvez presser les zones réflexes entre le pouce et l'index et entre l'index et le majeur, sur les deux mains car, au contraire du pied où les réflexes de la colonne vertébrale sont en ligne droite, il faut bien toucher le pouce et l'index pour atteindre toute la zone de la colonne vertébrale.

Il va sans dire qu'il faut aussi vérifier toutes les autres causes possibles des douleurs dorsales, comme un mauvais fonctionnement rénal, des troubles menstruels, un manque de calcium ou de vitamine c, de l'arthrite, etc.

paralysie

La paralysie, perte de contrôle des mouvements, est provoquée par deux causes majeures : la première est la détérioration ou l'inflammation de la couche de myéline des fibres nerveuses et la seconde, le coincement des nerfs qui empêche le passage de l'influx nerveux. Dans le premier cas, la réflexologie peut apporter du soulagement. Dans le deuxième cas, les résultats vous surprendront.

Dans les cas de paralysie, M. Roy E. **BEAN**, N.D., a particulièrement confiance au lobe de l'oreille droite. À noter que le point maître sensoriel se trouve sur le lobe des oreilles. Cet homme, qui a pratiqué depuis au-delà de vingt ans la réflexologie, recommande également d'exercer une pression sur la paroi arrière du pharynx avec une sonde.

Vous devez également masser les réflexes de la tête, situés sur tout le pouce, mais aussi sur l'index et même les troisième et quatrième doigts, si la paralysie est importante. Dans ce cas, à cause du croisement des nerfs dans la boîte crânienne appelé décussion, vous devez masser le pouce gauche si c'est le côté droit qui est paralysé et vice-versa. De même, massez le gros orteil droit pour assister la circulation du cerveau si votre côté gauche est touché. Dans tous les autres cas, massez le pied droit lorsque le côté droit est touché et le pied gauche lorsqu'il s'agit du côté gauche.

L'apoplexie est un type de paralysie causée par un caillot sanguin dans le cerveau, qui exerce une pression sur des zones contrôlant les actions motrices d'une partie du corps. Souvent la cause d'un tel problème vient d'une haute pression sanguine. Vérifiez les zones réflexes des reins, du foie et principalement de la pituitaire. En enlevant les obstacles à une bonne circulation sanguine, vous pourrez peut-être réduire le caillot et le cerveau transmettra de nouveau ses messages.

De plus, si c'est la haute tension qui est coupable, pensez au point très important de la circulation situé dans la figure représentant le visage (figure 17) au centre des oreilles. Plus l'attaque est récente, plus vos chances de succès sont grandes. Un peigne peut être très avantageux pour exercer une pression sur les points réflexes des mains pendant cinq à vingt minutes.

bégaiement

Le bégaiement est causé par un déséquilibre nerveux du cerveau, maintes fois accompagné d'un déplacement

des vertèbres cervicales. Il faut replacer les vertèbres,
surveiller la quantité de vitamine B absorbée et appliquer
un massage sur les réflexes des vertèbres cervicales, tel
qu'illustré à la figure 15.

dépression mentale

La maîtrise de nos émotions et notre santé mentale
sont très importantes si nous voulons avoir une personnalité équilibrée. Lorsque la dépression s'installe,
maintes fois le système nerveux ou le système endocrinien fonctionne mal. Ce dérèglement vient souvent
d'une tendance aux pensées négatives; aussi, je vous
incite fortement à lire des livres où l'on traite de la force
infinie de la pensée positive.

Richard **BACH**, auteur des célèbres livres *Jonathan
Livingston, le Goéland* et *Illusions* affirme: «**Il n'est
jamais problème qui n'ait un cadeau pour toi entre ses
mains!**» Le but de notre vie terrestre est d'acquérir la
Connaissance, c'est-à-dire la compréhension parfaite de
l'univers et, pour cela, il nous faut passer par des
épreuves et des tribulations, jalons de notre perfection
ultime. Lors d'une crise sérieuse de dépression mentale,
répétez-vous à satiété des phrases positives. Je vous
donne ci-dessous, à titre d'exemple, le texte à la Trinité
récité par les centaines de membres de l'association des
chercheurs en sciences cosmiques:

> «**La Trinité me pénètre de sa puissante énergie
divine. Cette énergie me libère de:
>   mes craintes,
>   mes inquiétudes,
>   mes angoisses,
>   mes doutes.
> Elle guérit aussi et mon corps et mon âme de
tout ce qui est en inharmonie avec l'Univers.**»

Le régime alimentaire, le repos et la relaxation jouent
aussi un rôle capital dans la récupération d'une santé
mentale solide et vibrante.

À tout cet arsenal, ajoutez la réflexologie. Massez
d'abord les zones réflexes du système endocrinien, (Voir

figure 20), en insistant sur la pituitaire, la thyroïde, les surrénales et la pinéale.

Quant au système nerveux, je vous recommande très fortement de lui donner de l'énergie vitale, en secouant vos mains et vos pieds, pendant dix à quinze secondes.

Si j'avais à choisir le paragraphe le plus important de tout ce livre, je crois bien que c'est sur celui-ci que s'arrêterait mon choix. La polarité change soit du Yang au Yin ou du Yin au Yang aux extrémités des méridiens situés au bout des orteils et des doigts ; juste avant ce changement de polarité, un lien interne et profond joint les méridiens ensemble au niveau des poignets et des malléoles (appelées communément chevilles). (35) En conséquence, le flot d'énergie vitale est le plus facilement modifié et réglé aux poignets et malléoles.

Coupez vos heures de travail par quelques secondes de relaxation, en secouant vigoureusement mains et pieds et je vous promets une sensation de bien-être exceptionnel.

tension nerveuse

Sans aller jusqu'à la dépression mentale, il arrive que souvent notre système nerveux devienne tendu à l'extrême, face aux multiples exigences quotidiennes.

Plusieurs exercices s'offrent à vous. Essayez-les tous et choisissez celui qui vous convient le mieux. D'abord, faites l'exercice de la redistribution d'énergie vitale en secouant vos pieds et vos mains, tel qu'indiqué ci-haut. Puis, étirez-vous dans tous les sens et baillez ; cet exercice stimule favorablement les nerfs du système nerveux autonome et vous aidera à coup sûr. Essayez-le et vous en aurez la preuve.

Vous pouvez placer des épingles à linge sur vos doigts de quinze à vingt minutes par jour ou serrer les dents et les poings plusieurs minutes à la fois et ce, trois fois par jour. L'utilisation du peigne de métal est efficace pour presser les doigts où de nombreuses zones sont reliées au système nerveux. Si vous ne possédez pas de peigne, faites simplement le massage de vos doigts. Il faut *traire* vos doigts et les masser de tous côtés. Si l'endroit où vous vous trouvez vous permet de «traire» vos orteils, faites-le aussi et ajoutez une touche finale en massant votre nuque. Quelle récompense sera la vôtre! Vous en éprouverez une grande sensation de fraîcheur et vous retrouverez une vitalité nouvelle.

Vous pouvez également masser les points réflexes de votre plexus solaire. Le plexus solaire est situé derrière l'estomac et en avant du diaphragme. Cet important réseau nerveux distribue ses ramifications à tous les organes abdominaux et, de ce fait, est souvent appelé le cerveau abdominal.

Lorsque vous masserez les réflexes de l'estomac, vous toucherez aussi ceux du plexus solaire, bien que ceux-ci soient plus au centre du pied, puisque le plexus solaire se situe en plein centre du corps.

Plexus solaire

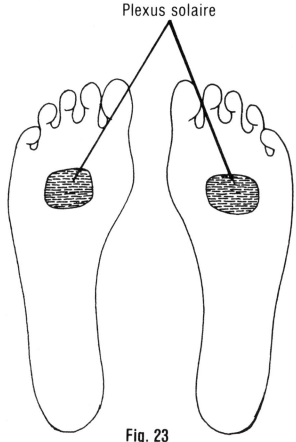

Fig. 23

Une technique spéciale pour masser les points réflexes du plexus solaire consiste à presser et relâcher plutôt que de masser d'une façon circulaire. Placez votre pouce gauche sur les réflexes du plexus solaire de votre pied droit. Poussez graduellement en inspirant lentement; tenir quelques secondes et relâchez lentement en expirant. Répétez quelques fois et procédez de même pour l'autre pied. Si vous pouvez, demandez à un ami de vous aider, car il est excellent d'avoir le massage des deux pieds simultanément.

névrite

Une névrite, c'est l'inflammation des nerfs. Cela peut venir de nerfs *pincés*, d'une mauvaise alimentation et de certaines carences de vitamines. Ajoutez des vitamines B complexes et C, de même que des oligo-éléments. Les algues marines contiennent une trentaine de minéraux, y compris ces précieux oligo-éléments. Faites vérifier l'alignement de vos vertèbres et travaillez avec les dents d'un peigne de métal sur les orteils, de dix à vingt minutes, ou appliquez une pression sur les doigts avec le peigne ou des épingles à linge.

insomnie

Pour corriger l'insomnie, il est utile de connaître les différentes phases du sommeil. La première phase, appelée orthodoxe, dure pendant environ les trois quarts de la période totale de sommeil. Le sommeil orthodoxe conduit le cerveau dans des ondes très lentes. La deuxième phase, appelée REM (Rapid Eye Movement), occupe le dernier quart et se caractérise par un mouvement rapide des yeux qui semblent suivre une scène imaginaire. C'est la période du rêve.

Au cours d'une nuit, quatre à cinq cycles de quatre-vingt-dix minutes se succèdent, alternant sommeil orthodoxe et REM. Le sommeil orthodoxe a un pouvoir de récupération physique et son besoin augmente à la suite d'une blessure, d'une douleur ou d'un exercice physique intense. Le sommeil REM, de son côté, est axé sur la classification des données reçues par nos sens au cours de la journée. Il est indispensable pour maintenir l'optimisme et la confiance en soi, de même que pour permettre une bonne adaptation émotionnelle à l'environnement. (36) Le Rem affecte particulièrement les mécanismes d'apprentissage et la mémoire.

Fait très intéressant ici, c'est que les bons dormeurs et ceux qui souffrent d'insomnie, ont un sommeil profond orthodoxe de même longueur; la différence de la durée du sommeil entre ces deux groupes se manifeste au niveau du REM. Les bons dormeurs ont une phase de mouvements rapides des yeux plus longue que ceux qui souffrent d'insomnie.

Autre fait intéressant: toutes les pilules pour dormir, de même que les antihistaminiques, les tranquillisants, l'alcool et les amphétamines affectent profondément la phase du sommeil REM. (37) Par conséquent, il ne faut pas faire usage de ces médicaments des mois durant, sinon votre sommeil se trouvera encore plus perturbé qu'il ne l'était avant l'utilisation de ces béquilles que constituent les pilules.

La réflexologie vous offre ici des techniques très efficaces. Croisez vos mains et gardez-les ainsi de dix à quinze minutes; le sommeil vous aura peut-être gagné avant ce temps. Sinon, faites le tour des zones réflexes des glandes endocrines. (Voir figure 20). Surveillez particulièrement la pituitaire, car le centre de régulation du sommeil s'y trouve tout à côté.

Deux points merveilleux pour relaxer la tension émotionnelle accumulée au cours de la journée se trouvent au niveau du front.

Cependant, ici, pas de massage. Demandez à une autre personne de poser le bout de ses doigts sans bouger sur ces points jusqu'à ce que la détente s'installe. J'ai reçu des dizaines de commentaires concernant le bienfait de ces points. Les enfants y sont particulièrement sensibles. Je vous incite à tenter l'expérience sur eux et sur vous: les résultats vous étonneront!

Une autre technique très efficace consiste à serrer deux peignes. Vous placez, dans chaque main, un peigne avec les dents contre la paume et vous serrez très fort, environ

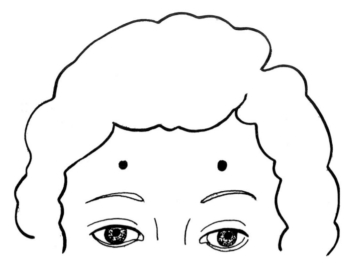

Fig. 24

dix minutes. Prenez soin de déposer vos peignes près de votre lit et, dès que l'insomnie survient, utilisez-les.

inflammation du nerf sciatique

Le nerf sciatique est le plus long nerf du corps. Il naît au plexus sacré, sort du bassin par la partie inférieure de la grande échancrure sciatique et descend jusqu'au talon. À sa sortie du bassin, son diamètre est d'environ deux centimètres.

Plusieurs causes peuvent conduire à l'inflammation très douloureuse de ce nerf : infection dentaire, hypertrophie de la prostate, constipation et déplacement des vertèbres lombaires. Il semble que cette dernière cause s'avère la plus fréquente. Il se peut également qu'une vieille blessure à l'épaule ou au bras par action réflexe à la hanche, cause des problèmes de circulation dans la région du nerf sciatique. Donc vérifiez cette possibilité.

Massez sous chaque pied aux endroits indiqués dans la figure 25. Ces réflexes étant profonds, vous utiliserez de préférence un instrument (tel l'extrémité d'un crayon). Remarquez bien que les réflexes du sciatique se trouvent légèrement vers l'extérieur du centre du talon. Si vous pressez suffisamment fort, vous le trouverez, car l'inflammation de ce nerf provoque une douleur intense.

Certaines fois, vous pouvez obtenir un soulagement complet après un seul traitement. Sinon, continuez les massages. Tentez l'expérience : vous en bénéficierez de toute manière !

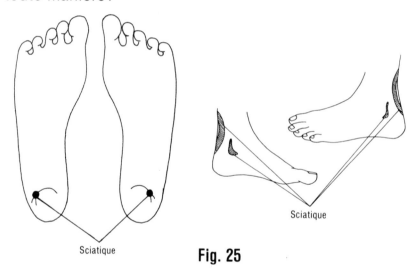

Sciatique

Sciatique

Fig. 25

Après le massage sous le talon, continuez avec celui des malléoles de l'extérieur de chaque pied ; c'est à cet endroit que le nerf sciatique se trouve le plus près de la peau. La douleur interne viendra non seulement du nerf sciatique mais de la hanche et du bas du dos. Vous aiderez donc à décongestionner la région lombaire. Puis, massez tout le long du tendon d'Achille en montant vers le genou.

Sur la main, vous pouvez presser à la jonction du poignet et de la main avec un peigne.

Cependant, s'il existe une dislocation ou une subluxation de la hanche, voyez un ostéopathe ou un chiropraticien.

VIII
réflexologie et le système ostéo-musculaire

description du système ostéo-musculaire

le squelette

Il constitue vingt pour cent du corps d'un adulte et renferme deux cent six os. Il se divise en trois parties : le tronc, les membres et la tête. Le crâne est formé de huit os. Le tronc comprend la colonne vertébrale, douze paires de côtes et le sternum. Les membres (bras et jambes) se rattachent au tronc par la ceinture scapulaire et la ceinture pelvienne.

Le squelette joue un rôle de soutien et de protection pour les tissus. Son rôle de protection s'avère capital surtout pour le système nerveux qui se trouve bien enchâssé dans le crâne et la colonne vertébrale ; de même, tous les organes vitaux, tels que le cœur, les poumons, le foie, l'estomac et la rate sont protégés par les côtes et le sternum. Les organes reproducteurs, la vessie et le rectum sont à l'abri dans le bassin.

Le squelette constitue une abondante réserve de minéraux dans laquelle le sang puise. Le squelette est un organisme bien vivant qui se remanie constamment, s'accroît, s'enrichit ou s'appauvrit en calcium. Les cellules du tissu osseux ne sont pas disposées au hasard mais rangées en plusieurs cercles concentriques autour de vaisseaux nourriciers et de nerfs qui les desservent. Une bonne ossification nécessite des aliments riches en sels minéraux (surtout calcium, magnésium, phosphore et fluor) et en vitamines A et D, un bon fonctionnement de la thyroïde, des parathyroïdes et de la pituitaire, de même qu'une action musculaire bien conduite.

les muscles

Les muscles permettent le mouvement des différentes parties du corps. Ils sont attachés aux os par des tendons. Votre corps en renferme au-delà de six cents. Ils appartiennent à deux catégories: squelettiques et viscéraux. Les muscles squelettiques sont rouges, reliés aux os par des tendons et recouverts par une gaine ou aponévrose. Les muscles viscéraux, à part le cœur qui est rouge, sont blancs.

Ce sont des organes élastiques et contractiles qui tirent leur énergie du glucose fourni par les aliments. Ils produisent des déchets: gaz carbonique et acide lactique. Cet acide lactique est responsable, en grande partie, de la fatigue musculaire. En appliquant une pression digitale sur un muscle, il est possible de convertir quatre-vingt pour cent de l'acide lactique en glycogène qui, à son tour, se transforme en glucose. (38) Cela signifie que le massage d'un muscle le relaxe grandement.

Les muscles travaillent rarement en solitaires et presque toujours par groupes. Chaque muscle a un antagoniste; ce qui veut dire que lorsqu'un muscle se contracte, un autre doit se relaxer pour permettre le mouvement.

En 1960, le docteur George **GOODHEARTH**, aux États-Unis, élabora une nouvelle hypothèse dans son travail sur les muscles. Il déclara que ce n'était pas les spasmes musculaires qui causaient les troubles mais les muscles faibles du côté opposé aux spasmes qui obligeaient les muscles normaux à trop se contracter. Grâce à des techniques de chiropraticien et à des anciennes pratiques orientales pour stimuler ou disperser l'énergie, il développa une thérapie musculaire appelée *Touch For Health* ou *Toucher Thérapeutique*.

Il réussit à mettre en lumière la relation muscle-organe. C'est ainsi que chaque muscle du corps a un lien particulier avec un organe défini. Par exemple, en vérifiant le grand dorsal, on trouve le niveau d'énergie du pancréas. Si c'est le grand pectoral qui est vérifié, on voit si l'estomac a beaucoup d'énergie ou s'il a des problèmes. Et ainsi de suite pour chaque muscle. N'est-ce pas merveilleux de constater, une fois de plus, les interrelations qui se jouent constamment dans notre corps, souvent à notre insu, mais toujours en fonction de son équilibre et de sa santé?

Bien que le *toucher thérapeutique* exige un spécialiste pour être appliqué, la réflexologie peut vous permettre de donner plus de force à certains muscles par la relaxation et l'amélioration de la circulation.

Madame Françoise **MÉZIÈRES** et Madame Thérèse **BERTHERAT** croient, tout comme Monsieur Goodheart, que très souvent la mauvaise coordination entre deux muscles occasionne de sérieux problèmes. Dans son livre **Le corps a ses raisons**, Madame Bertherat affirme: « *Le corps est une maison que l'on n'habite pas ; les murs en sont les muscles. Toute rigidité musculaire contient l'histoire et la signification de son origine ; dissoudre cette rigidité libère non seulement l'énergie mais aussi ramène à la mémoire la situation infantile même où le refoulement a eu lieu.* » Alors, qu'attendons-nous pour habiter notre maison?

les articulations

Les articulations unissent deux ou plusieurs os. Leur rôle est de porter le poids et de permettre le mouvement. À l'intérieur de ces articulations se placent les bourses qui renferment un liquide lubrifiant : le liquide synovial. Ces bourses permettent aux muscles ou aux tendons de glisser sur les os doucement, sans friction. Ces articulations jouent un grand rôle dans notre bien-être ;

elles sont le siège de plusieurs problèmes, tels l'arthrite et les bursites qu'il faut corriger par la nutrition, l'exercice et la réflexologie.

indications de massage du système ostéo-musculaire

crampes et spasmes

Les crampes sont des contractions musculaires très douloureuses certaines fois. Elles se produisent surtout dans les jambes, les pieds, le cœur, le cou, le dos et l'abdomen.

Utilisez les zones réflexes. Si le genou vous cause des douleurs, massez le coude. Si le poignet est affecté, touchez les malléoles. Pour le pied, vous travaillez sur la main et pour la main, vous utilisez le pied. Notez que lors d'une inflammation, d'une bursite ou d'une crampe, il faut éviter de masser la zone directement touchée et s'en tenir aux zones réflexes.

Il semble que les crampes des jambes soient reliées à un mauvais fonctionnement du foie ; à ce moment, massez également cette zone. (Voir figure 13). Il faut aussi réviser votre nutrition pour inclure suffisamment de calcium, de magnésium, de sodium, de vitamines B, C, D et E.

Si le cœur est touché par une crampe (angine de poitrine), massez la région cardiaque sous le pied gauche. (Voir figure 14).

Situé sur le sommet du crâne, à environ 2,5 cm de la fontanelle postérieure, ce point contacte le pylore (valve entre l'estomac et le petit intestin). Le pylore entre en spasme certaines fois et trouble toute la digestion. Ce point touche de plus le plexus cardiaque ; il est donc très important. Certaines personnes sentent à la suite de ce traitement un picotement tout le long du corps, de la tête aux pieds. Voir fig. 26.

Un *Charley Horse* est un muscle étiré et endolori, souvent dû à des activités sportives exécutées sans un entraînement préalable. Traitez ce problème comme s'il s'agissait d'une simple crampe, tout en surveillant la quantité de protéines ingérées, afin de rebâtir le plus tôt possible les cellules lésées.

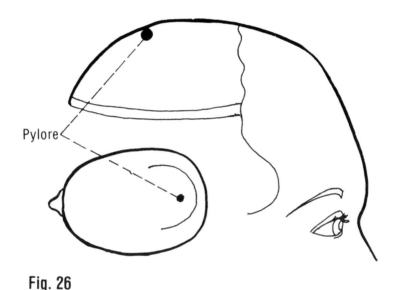

Pylore

Fig. 26

douleurs musculaires

Les douleurs musculaires sont provoquées par des malaises nombreux et variés : tension nerveuse, exercice violent, maladie, blessure, malnutrition, valvule iléo-caecale mal fermée et reins surchargés qui font libérer trop de déchets par la peau. Les douleurs musculaires au niveau du dos affectent principalement trois régions. La première est au niveau du cou (torticolis). Massez les gros orteils dix minutes et cela vous aidera.

La seconde se situe au niveau des muscles des épaules et du haut du dos. Des douleurs aux épaules peuvent vous rendre très inconfortables ; à ce moment, touchez la zone réflexe pour les épaules sous les pieds dix minutes par jour. Cette zone se situe vers l'extérieur du pied, sous le petit orteil. (Voir figures 13 et 14). De plus, la valvule iléo-caecale est souvent responsable de douleurs aux épaules. Voir figure 13.

La dernière région à masser est évidemment celle du bas du dos.

ostéoporose

L'ostéoporose est une dégénérescence des os causée par un déséquilibre glandulaire, des carences de vitamines et de calcium. Cette dégénérescence se caractérise par une grande porosité des os qui deviennent très fragiles et se cassent sous un petit choc.

Appliquez la réflexologie à tout le système endocrinien, tel que décrit au chapitre VI et, par la suite, ajustez votre nutrition. Soyez attentif particulièrement aux zones réflexes des gonades, car leurs hormones retardent l'ostéoporose en arrêtant la perte de calcium des os ; ce trouble osseux survient chez environ vingt-cinq pour cent des femmes, cinq à dix ans après la ménopause. (39)

L'homme, de son côté, ne souffre d'ostéoporose que lorsqu'il est très avancé en âge car ses testicules lui fournissent des androgènes (hormones mâles) tout au long de sa vie. Son squelette se maintient en santé plus longtemps que celui de la femme.

jambes de longueur inégale

Souvent, à cause d'un maintien inadéquat ou d'une mauvaise position du fémur dans la hanche, il arrive que les deux jambes ne soient pas de même longueur ; il en résulte alors un boitement disgracieux et un déséquilibre de toute la structure corporelle. Les jambes sont comme les piliers d'un temple et elles se doivent de supporter adéquatement votre édifice corporel.

Si vous souffrez de ce problème, massez les points réflexes de la zone correspondant à l'épaule, dix minutes, trois ou quatre fois par semaine durant une période de quelques mois. Pour vérifier l'équilibre entre le côté gauche et le côté droit du corps, pesez-vous sur deux balances bien précises avec un pied sur chacune ; un bon équilibre existe si l'écart ne dépasse pas 2,25 kilogrammes (environ cinq livres).

Si vous avez un bras trop court, vous pouvez appliquer la réflexologie, en travaillant les réflexes de la hanche, situés sur la figure 15. Gardez à l'esprit les associations *hanche-épaule, coude-genou, poignet-malléole ;* traiter un endroit correspond à agir sur l'autre.

rhumatisme

Le rhumatisme ressemble à l'arthrite ; au lieu des articulations, ce sont les muscles qui sont impliqués. Le rhumatisme consiste en une suffocation biochimique causée par un ralentissement des fonctions vitales, une digestion et assimilation incomplètes, des déficiences nutritionnelles, des troubles glandulaires, une mauvaise élimination des déchets du métabolisme, une circulation diminuée et une façon négative d'envisager la vie.

Lors du massage des zones réflexes, vous ouvrez les canaux d'énergie qui vont porter aux régions endommagées par le rhumatisme un regain de vie permettant la reconstruction des tissus et la disparition du rhumatisme. Notez bien que toutes les cellules de votre corps se renouvellent sur une courte période selon un plan parfait où la maladie ne doit pas s'insérer. En effet, les chercheurs des laboratoires de la Commission de l'Énergie Atomique des États-Unis ont affirmé que les atomes du corps se remplacent très vite. Grâce à des études exécutées avec des éléments radioactifs décelables, ils ont déterminé qu'en un an, quatre-vingt-dix-huit pour cent des atomes du corps sont remplacés par d'autres atomes tirés de l'air, de l'eau et de la nourriture. (40)

Alors, mettez-vous à l'œuvre en massant tout d'abord les zones réflexes du système endocrinien au complet. Apportez une attention spéciale aux zones réflexes des surrénales et des gonades. Vous savez que pour atténuer les douleurs rhumatismales et arthritiques, les médecins injectent souvent de la cortisone, substance produite naturellement par vos glandes surrénales. Pourquoi ne pas utiliser la réflexologie plutôt que les injections d'hormones ?

Les ovaires et les testicules fabriquent des hormones qui créent une chaleur interne dans votre corps, empêchant son durcissement, sa raideur et son inflexibilité ; vous voyez ici le lien important qui unit ces glandes endocrines et le rhumatisme.

Puis, passez aux zones réflexes du système digestif, car le rhumatisme est souvent lié à une accumulation de toxines, de déchets acides et de dépôts de calcium issus d'un système digestif déréglé. Touchez d'abord les zones réflexes de l'estomac, et ensuite celles des intestins et du foie. (Voir le chapitre concernant le système digestif).

Massez chaque point quelques minutes par jour pendant une semaine ou deux car vous libérerez une grande quantité de déchets bloqués depuis longtemps dans votre corps. De cette façon, vos organes d'élimination ne seront pas surchargés et, dans les semaines suivantes, vous procéderez à un massage d'une durée de cinq à six minutes par point réflexe douloureux.

Vous effectuerez la touche finale avec un massage de toutes les zones du pied.

fièvre rhumatismale

La fièvre rhumatismale attaque les articulations. Cette maladie se caractérise par l'inflammation du tissu conjonctif entourant les articulations. Une phase intense d'inflammation articulaire précède souvent une phase moins apparente mais dangereuse de dommages aux valvules du cœur. Tout vient d'un déséquilibre endocrinien. Une fois de plus, massez les zones réflexes des glandes endocrines, en particulier la pituitaire, la thyroïde, les surrénales et les ovaires.

Si vous massez les zones réflexes des glandes endocrines avant que le cœur ne soit affecté, vous pourrez vous éviter un très grave problème. Il va sans dire qu'une bonne nutrition et des suppléments alimentaires, tels que les vitamines A et C ainsi que le magnésium, doivent prendre une part active à la guérison. Le médecin doit être consulté et souvent il faut prendre des antibiotiques. Les antibiotiques sont une mesure d'urgence qu'on ne doit prendre qu'exceptionnellement au cours d'une vie. Bien qu'amenant des effets secondaires nuisibles (modification de la flore intestinale, accoutumance des bactéries aux antibiotiques, etc.) il est nettement préférable, dans certaines infections qui sapent beaucoup d'énergie corporelle, de tuer les agresseurs avec des antibiotiques.

Si vous devez prendre des antibiotiques, n'oubliez pas l'élémentaire précaution de joindre des capsules de culture de yogourt renfermant des bactéries qui rétabliront l'équilibre de votre flore intestinale. Le yogourt seul est bon mais ne suffit pas; il faut y adjoindre des capsules.

La gorge devra être massée, car elle est souvent douloureuse lors d'une crise de rhumatisme articulaire aiguë. Sa zone réflexe se situe à la base du gros orteil, là où l'orteil s'attache au pied. (Voir figures 13 et 14).

IX
réflexologie et le système cardio-vasculaire

description du système cardio-vasculaire

le cœur

C'est un muscle creux, rouge, involontaire, pesant deux cent soixante-dix grammes ou neuf onces. Formé de trois enveloppes (péricarde, myocarde et endocarde), il se divise en quatre cavités: deux oreillettes et deux ventricules. Lorsque l'organisme est au repos, les ventricules débitent quatre litres de sang à la minute et ce débit peut atteindre trente litres lors d'un travail intense.

La révolution cardiaque s'effectue en deux phases successives: la systole qui est la contraction et la diastole qui est le temps de repos. Ces deux phases se déroulent en 8/10e de seconde en moyenne pour donner soixante-quinze contractions par minute.

Votre cœur représente le plus résistant des muscles de votre corps puisqu'il bat jour et nuit, durant de nombreuses années. A cause de sa diastole, il peut se reposer de huit à douze heures par vingt-quatre heures. De la grosseur de votre poing, il se contracte et se relaxe cent mille fois au cours d'une journée, fournissant 36 500 000 pulsations dans un an. Bien qu'il ne pèse que le 1/100 du poids total du corps, il garde pour lui cinq pour cent de tout le sang qu'il pompe.

L'épaisseur de ses parois varie de 1/2 à 2 cm. En vingt-quatre heures, il travaille suffisamment fort pour lever trois hommes au sommet d'un édifice de quinze mètres de haut.

artères, veines et capillaires

Les artères sont des tubes cylindriques dans lesquels le sang voyage en fuyant le cœur; elles renferment trois tuniques: l'interne, la média et l'externe, appelée aussi adventice. Quand une artère se ramifie, le calibre total des branches est supérieur au calibre du vaisseau-souche en provoquant une diminution des résistances périphériques à la circulation. L'élasticité des artères uniformise le débit sanguin et diminue le travail du cœur.

Les capillaires représentent des vaisseaux sanguins aux parois très minces afin de permettre des échanges constants entre le sang et les cellules. Leur dimension s'avère une véritable merveille; en effet, leur diamètre mesure 1/3000 de 25,4 mm (un pouce). Les globules rouges, très ténus eux-mêmes, doivent y passer à la file indienne l'un derrière l'autre. Environ sept cents vaisseaux capillaires pourraient être contenus dans l'espace occupé par la tige d'une épingle. (41) Ces petits vaisseaux sont cinquante fois plus minces que le plus fin cheveu humain. Si tous les vaisseaux capillaires étaient placés bout à bout, ils formeraient un fil entourant la terre plusieurs fois.

Les veines, formées par la réunion des capillaires, sortent des organes et reconduisent le sang au cœur. Les parois des veines contiennent très peu de fibres élastiques et elles renferment des valves qui obligent le sang à aller vers le cœur mais l'empêchent de revenir en arrière.

le sang

Approximativement trente trillions de globules rouges circulent dans cinq litres de sang. Les globules rouges — ou hématies — ne renferment pas de noyaux et ils contiennent un pigment, l'hémoglobine, qui donne au sang sa couleur rouge. Le fer entre dans la composition de l'hémoglobine et les globules rouges s'élaborent dans la moelle rouge des os. Le rôle de ces globules consiste à transporter l'oxygène de l'air des poumons jusqu'aux organes et de ramener aux poumons le gaz carbonique.

Le sang renferme également des globules blancs — ou leucocytes — beaucoup moins nombreux que les rouges, soit environ un pour six cents globules rouges. Ces globules blancs renferment un noyau et leur rôle consiste à défendre l'organisme en dévorant les microbes et en sécrétant des substances capables de neutraliser les toxines microbiennes.

Le sang contient aussi des plaquettes sanguines, ou globulins, au nombre de 200 000 à 350 000 par mm^3 de sang. Ces plaquettes participent à la coagulation du sang.

Le temps moyen requis par le sang pour circuler dans tout le corps par la petite et la grande circulation (cœur-poumons-cœur-corps-cœur) est de vingt-trois secondes. Au cours d'une journée, un seul globule rouge parcourt environ trois mille voyages à travers le système circulatoire. Impressionnant, n'est-ce pas ?

indications de massage du système cardio-vasculaire

affections cardiaques

Le cœur, malgré son énorme résistance, souvent malmené par de la tension nerveuse et des excès de toutes sortes, tels que le sel, le café, le tabac, etc.

flanchera seulement si les autres organes vitaux (poumons — reins — foie) ne peuvent accomplir efficacement leur tâche.

Nous trouvons les réflexes du cœur sous le pied gauche, principalement dans les deuxième, troisième et quatrième zones. Ils s'enfoncent très profondément à l'intérieur du pied et nécessitent une pression considérable certaines fois. Le cœur lui-même se révèle très bien protégé à l'intérieur de la cage thoracique et ses points réflexes sont à son image.

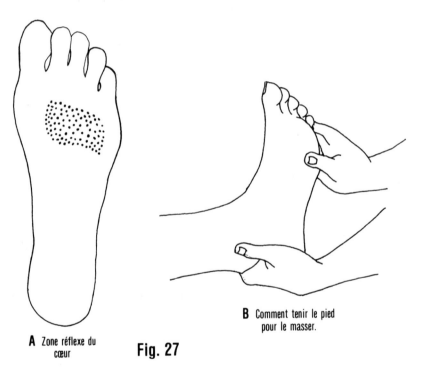

B Comment tenir le pied pour le masser.

A Zone réflexe du cœur

Fig. 27

Je suggère d'utiliser la face interne du pouce pour masser cette zone ; cherchez la région précise correspondante à la douleur cardiaque. Couvrez la zone du cœur et, si la douleur s'étend vers l'épaule et le cou, travaillez vers la base des quatrième et cinquième orteils. Si la douleur irradie vers le bras, massez autour de la base du petit orteil qui représente la région de l'épaule. Vous verrez ainsi l'angine de poitrine s'atténuer et disparaître.

Vous pouvez également masser le petit doigt de la main gauche ainsi que sa base. En France, au Moyen Âge, le croque-mort *croquait* réellement les morts, c'est-à-dire qu'il mordait l'extrémité du cinquième doigt du présumé cadavre, pour obtenir la certitude de sa mort ; or, il se trouve un point de réanimation à l'angle de l'ongle du cinquième doigt, sur le méridien du cœur. (42)

Massez aussi la région de la nuque à la base des gros orteils et les zones de relaxation, (voir chapitre du système nerveux) afin d'enlever la tension souvent associée aux troubles cardiaques.

De plus, je vous incite fortement à masser tout le long de votre sternum, en particulier, entre les deuxième et troisième côtes de même que près de vos aisselles ; ces points près des aisselles représentent le début du méridien externe du cœur. Un autre point très important que j'ai expérimenté maintes fois sur les gens se situe sous le menton ; ce point appartient au méridien interne du cœur. Voir fig. 28.

anémie

L'anémie existe lorsque les globules rouges transportent l'oxygène à travers le corps en quantité insuffisante, ou avec peu d'hémoglobine. L'hémoglobine est un composé où entre le fer ; ainsi, un régime pauvre en fer ou une mauvaise assimilation du fer conduisent vers l'anémie. Un des symptômes les plus évidents de l'anémie est la pâleur de la peau. Le manque d'énergie dû à une mauvaise circulation sanguine s'ajoute très souvent à ce symptôme. A noter que les femmes requièrent plus de fer que les hommes et doivent surveiller davantage cet aspect.

Massages et diète jouent un rôle très important dans la correction de ce problème. Il faut d'abord éliminer le thé et le café car ils interfèrent avec l'absorption du fer et ajouter des aliments riches en fer (foie, luzerne, levure, abricots, raisins, algues marines, etc.). Au niveau du

---

* La lécithine de soya est un aliment extrêmement utile pour réduire le cholestérol et les triglycérides du sang ; ainsi l'artériosclérose ou durcissement des parois des artères est évité ou réduit et le cœur en tire grand profit.

méridien interne et externe du cœur

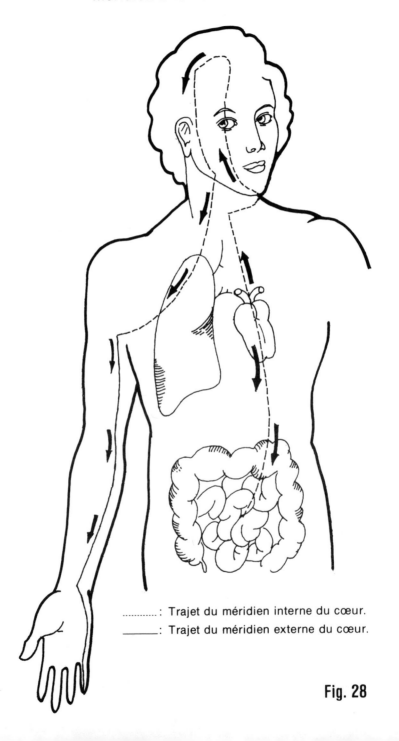

.... : Trajet du méridien interne du cœur.
_____ : Trajet du méridien externe du cœur.

Fig. 28

massage, considérez d'abord la rate. Située à gauche du corps, au-dessus de la taille, elle est le cimetière des globules rouges usés, de même qu'un entrepôt pour le fer requis par le sang ; de plus, elle produit une substance qui stimule le péristaltisme intestinal, agissant sur le petit et le gros intestin et empêchant la constipation. Puisqu'elle se trouve très liée aux intestins, une douleur dans cette zone signifie anémie ou troubles intestinaux ou les deux à la fois.

Les points réflexes de la rate se situent sous le pied gauche, dans la quatrième zone sous le cœur. (Voir figure 14). Habituellement, un massage du cœur couvrira la rate.

L'amélioration se produira très vite. Cependant, s'il s'agit d'anémie pernicieuse, les résultats surviendront plus lentement.

hyper et hypotension

L'hypertension artérielle représente un phénomène très commun dans notre société. Manifestée par des étourdissements et des douleurs derrière la tête, l'hypertension peut conduire à une crise d'apoplexie et de paralysie. Trop de sel dans l'alimentation peut en être responsable, mais souvent, la tension émotionnelle joue un rôle important dans le développement de cette affection.

Massez la zone réflexe de la nuque telle que montrée dans les figures 13 et 14 car l'hypertension s'accompagne toujours de problèmes dans la région du cou ; apportez un grand soin à cet endroit pour y diminuer la tension musculaire et permettre aux vertèbres cervicales de se replacer.

Puis, allez voir la zone du foie et le réflexe de la pituitaire. Un point très important se situe dans l'oreille. Il suffit d'y masser la zone correspondant au cœur pour améliorer la circulation à travers tout le corps. Voir figure 17, point 6.

Quant à l'hypotension, bien que moins dangereuse que son opposée, il faut tenter de l'éliminer pour garder une tension normale. À ce moment, frappez légèrement tout votre corps dans un mouvement de tapotement matin et soir et massez aussi votre oreille au point marqué cœur.

varices et hémorroïdes

Plusieurs personnes, en particulier les femmes, souffrent de varices. Elles provoquent la dilatation de veines superficielles ou profondes touchant souvent les jambes. Dues à la grossesse, l'obésité, la station debout prolongée ou au port de vêtements qui gênent la circulation sanguine, elles peuvent diminuer ou disparaître si vous surveillez certains points : ne croisez pas vos jambes lorsque vous êtes assis, mangez des aliments riches en vitamines E et C, faites de l'exercice surtout la marche et appliquez la réflexologie.

Les points à toucher se trouvent de nouveau sur l'oreille, dans la zone du cœur, pour favoriser une bonne circulation à travers tout le corps. Voir figure 17, point 6.

Massez aussi les réflexes du foie, car il semble que les varices soient reliées aux problèmes du foie. Cela vaut également pour les crampes et les douleurs dans les jambes.

Vous devez réaliser que ce programme de massage et de diète doit durer plusieurs mois. Alors, persévérez et continuez à masser trois fois la semaine jusqu'à ce que le problème disparaisse.

Quant aux hémorroïdes, considérez-les comme des varices situées dans le rectum. Très douloureuses et souvent endurées en silence, elles répondent très vite à la réflexologie, du moins en ce qui concerne la disparition de la douleur. Vous trouverez les réflexes des hémorroïdes dans la zone *un* de chacun des pieds. Massez entre le pouce et l'index tout le long du tendon d'Achille, sur une longueur de dix centimètres environ.

Souvent, vous constaterez qu'un pied est plus sensible que l'autre car la veine enflée se situe habituellement sur un côté du rectum plutôt qu'au centre. Le massage des pieds semble donner les résultats les plus rapides, bien que le massage des réflexes des hémorroïdes sur les mains, près des poignets, ou sur la langue, avec le manche d'une cuillère, dans la zone un, en pressant en arrière vers le centre aussi loin que possible de deux à dix minutes, rende de grands services.

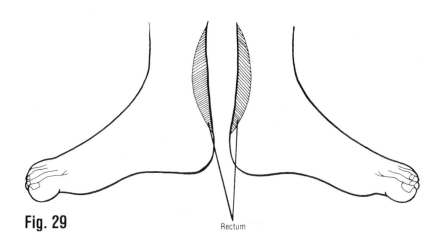

Fig. 29

Rectum

X
réflexologie et l'appareil digestif

description du système digestif

Dans l'évolution du règne animal, le système digestif représente le plus ancien des systèmes organiques, puisque l'amibe, animal monocellulaire, située au bas de l'échelle, est en somme un simple estomac qui engloutit tout ce qu'elle touche de comestible. C'est un système des mieux pourvus en vaisseaux et en nerfs.

Pour bien comprendre ce système très important de notre corps, partons ensemble en voyage à travers le tube digestif et admirons la complexité et le raffinement avec lesquels les aliments se transforment et s'assimilent pour nous fournir l'énergie requise pour toutes nos activités.

les glandes salivaires

Au nombre de six, les glandes salivaires se divisent en trois paires: les parotides, les sous-maxillaires et les sublinguales. La salive contient 99.5% d'eau, des protéines, de la mucine, des sels de soude et de calcium et un important enzyme: la ptyaline. La ptyaline représente une nécessité pour la bonne digestion des amidons et

Tube digestif

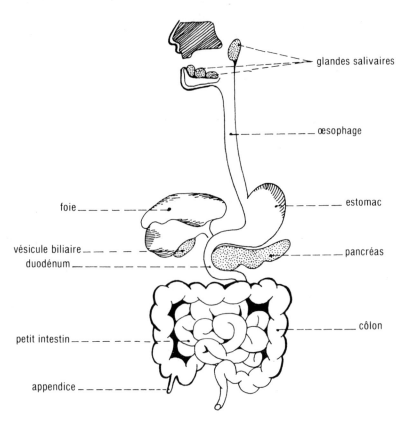

glandes salivaires

œsophage

foie

estomac

vésicule biliaire

duodénum

pancréas

petit intestin

côlon

appendice

Fig. 30

elle ne se retrouve que dans la salive ; ce qui signifie que sans mastication suffisante, vos amidons ne peuvent être imprégnés de l'enzyme chargé de briser les molécules d'amidon en fractions plus simples. Si le point de départ de la digestion s'avère faussé, le point d'arrivée ne peut qu'être déréglé.

La salive contient également un bactéricide naturel et puissant, appelé lysozyme. Il va sans dire qu'une bonne mastication facilitera de beaucoup votre digestion.

l'estomac

L'estomac se situe haut dans l'abdomen sur le côté gauche, niché sous le diaphragme et protégé par la cage thoracique. Quand il est plein, il peut renfermer jusqu'à 2.3 litres (2 pintes) de chyme. Vide, il ressemble à un ballon dégonflé. Il doit produire environ 7 litres (6 pintes) de sucs digestifs (acide chlorydrique et surtout pepsine) par jour.

Deux sphincters siègent à l'entrée et à la sortie de l'estomac. Le cardia ouvre la porte pour permettre à la nourriture descendue le long de l'œsophage de pénétrer dans l'estomac et le pylore, puissant muscle circulaire, s'entrouvre, laissant passer la nourriture dans la « cuisine » du corps : l'intestin grêle.

Le contenu de l'estomac se déverse dans l'intestin sous une influence mécanique (les aliments sont entraînés par le péristaltisme de l'estomac), une influence chimique (l'alcalinité du duodénum provoque l'ouverture du pylore et l'acidité sa fermeture) et une influence psychique (les émotions agréables l'entrouvrent et les émotions pénibles le ferment).

les intestins

● l'intestin grêle

L'intestin grêle mesure huit mètres de long et trois centimètres de large. Il décrit de quinze à vingt anses intestinales. Il se situe au centre de la cavité abdominale et se termine à droite par la **très, très importante valvule iléo-caecale**. Il se partage en trois régions : d'abord, le duodénum qui représente un carrefour digestif car les voies biliaires et pancréatiques viennent y verser leurs éléments de transformation de la bouillie stomacale ; puis, le jéjunum avec ses anses horizontales et, finalement, l'iléon avec ses anses verticales.

À l'intérieur de l'intestin grêle, huit cent replis, appelés valvules conniventes, ralentissent le transit de la bouillie alimentaire. Ces valvules conniventes renferment de minuscules saillies en doigts de gant, appelées *villosités intestinales*, qui laissent traverser les substances assimilables dans le sang. Des glandes intestinales, au nombre de 160 000 000, s'ouvrent entre les villosités et sécrètent un peu plus d'un litre de sucs digestifs par jour. Sa surface d'absorption représente quarante-huit mètres carrés.

• la valvule iléo-caecale

La valvule iléo-caecale permet à la bouillie préparée par l'intestin grêle, le chyle, de traverser dans le côlon. Très petite, elle est d'une importance inversement proportionnelle à sa grosseur car elle doit empêcher le chyle de retourner dans l'intestin grêle. L'intestin grêle occupe la position de *cuisine du corps* car c'est à cet endroit que se déroulent les opérations biochimiques et mécaniques permettant la transformation de la bouillie stomacale.

Le chyme, transformé en chyle dans la cuisine, arrive après un transit de trois heures et demie environ dans l'intestin grêle, à la porte d'entrée du côlon où il demeure une heure avant de franchir cette frontière contrôlée par la valvule iléo-caecale. Normalement, lorsque le chyme est engagé dans la zone du côlon, la région de la poubelle du corps, il ne doit pas retourner dans la région de l'intestin grêle, la cuisine du corps.

• le gros intestin

La longueur des côlons correspond à peu près à la taille de l'individu. Il est deux ou trois fois plus gros que le grêle. Il commence par une section fixe, le caecum, au-dessous duquel on trouve l'appendice. Il se continue par le côlon ascendant à droite, transversal et descendant à gauche, pour se terminer par l'anse du sigmoïde et par le rectum (ampoule où s'accumulent les fèces). L'anus ferme le rectum. Les aliments arrivent au côlon descendant neuf heures après avoir quitté l'estomac, et après seize à dix-huit heures dans le côlon sigmoïde, ils sont expulsés.

le foie

Le foie se situe à l'étage supérieur de la partie de droite de l'abdomen. Cet organe des plus versatiles et

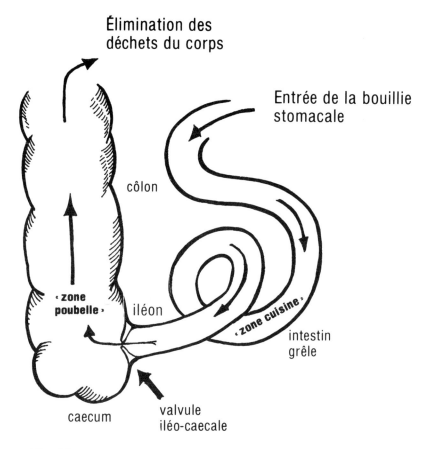

Fig. 31

le plus gros du corps, avec un poids de 1,5 kilogramme (environ 3 livres), remplit au-delà de cinq cents fonctions différentes.

Il contient de huit à neuf cents grammes de sang et il reçoit environ le quart de tout le sang artériel pompé par le cœur à chaque battement, de même que presque tout le sang veineux venant du petit intestin.

Dans ses efforts pour conserver son énergie en cas d'urgence, le foie travaille en n'utilisant que le quart de son volume à la fois. (43) Il doit donc y avoir de très nombreuses sonnettes d'alarme qui résonnent aux oreilles de notre bel architecte.

Il enlève les substances toxiques, telles que la nicotine, l'alcool, la caféine, les médicaments, du sang. Il décide du choix des acides aminés qu'il devra conserver pour fabriquer des hormones, des enzymes et des co-enzymes, de même que du choix de d'autres acides aminés qu'il expédiera dans la circulation pour réparer et bâtir de nouvelles cellules. Il fabrique la bile nécessaire pour la digestion (environ deux litres par jour). Il emmagasine des vitamines de même que le très précieux glucose qu'il libère au fur et à mesure des besoins en énergie dans le sang. Il fabrique non seulement des substances coagulantes vous empêchant de souffrir d'hémorragies mais aussi des anticoagulants qui gardent à votre sang la viscosité idéale.

Ce merveilleux organe a le pouvoir de se régénérer très rapidement même lorsqu'une large partie a été détruite lors d'un accident ou d'une opération.

la vésicule biliaire

La vésicule biliaire se loge sous la surface inférieure du lobe droit du foie. De la forme d'une poire, elle constitue un réservoir pour la bile pendant les intervalles de la digestion. La bile venue du foie y devient dix fois plus concentrée et attend le moment des repas pour se déverser dans le duodénum par le canal cholédoque.

le pancréas

Déjà vu au chapitre des glandes endocrines comme producteur d'hormones, le pancréas s'avère des plus important pour la digestion. Il produit un litre par jour de sucs digestifs comprenant de la trypsine, pour aider à dégrader les protéines, de l'amylase, de la lipase, de la maltase et de la cholestérase. Ces sucs s'écoulent dans le duodénum par deux canaux : le canal de Wirsung et de Santorini.

indications de massage du système digestif

affections de l'estomac

Les ulcères d'estomac sont des lésions ouvertes de la muqueuse stomacale, causées par une production excessive d'acide chlorydrique. Une diète déficiente en vitamines B et C, de même que la tension émotionnelle, provoquent souvent cet excès de sécrétions acides. En plus de se situer dans l'estomac, les ulcères siègent souvent au niveau du duodénum; d'ailleurs, quatre-vingt-dix pour cent des ulcères se logent dans cette première partie de l'intestin grêle et devraient s'appeler: ulcères du duodénum.

Il est prouvé que l'estomac « rougit » tout comme le visage sous l'effet des émotions. Un médecin de la célèbre clinique Mayo, Walter **ALVAREZ**, nota, pendant des années, 15 000 observations de gens atteints de dyspepsie, signe avant-coureur de l'ulcère, et il en conclut que c'est l'alternance de la congestion et de la pâleur de la muqueuse qui détermine la dyspepsie et l'ulcère. (44)

Cette alternance, provoquée surtout par les tempêtes émotionnelles, ont permis de dresser un portrait-type de l'ulcéreux; généralement, c'est celui qui a une forte dose de ressentiment contre la société. La haine et la rancune refoulées dans le subconscient finissent par affecter ces organes particulièrement sensibles à l'action de ces émotions négatives.

Chaque émotion négative touche un organe bien défini. Il est donc possible de prédire, selon la nature des émotions éprouvées par les individus, quel organe sera atteint et de quelle maladie ils souffriront.

Il faut d'abord se mettre en harmonie avec soi-même et avec son entourage si l'on veut éviter les ulcères, cette maladie qui touche dix à quinze pour cent de la population.

Ensuite, il faut utiliser les points réflexes. L'estomac étant situé un peu au-dessus de la taille, presqu'au centre, mais plus vers le côté gauche, nous trouvons ses réflexes au-dessus de la ligne de la taille dans les première et deuxième zones du pied droit et dans les première, deuxième et troisième zones du pied gauche.

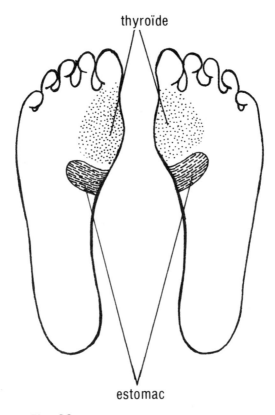

thyroïde

estomac

Fig. 32

Pour faciliter le massage de ces réflexes, utilisez la jointure de votre index recourbé et alternez avec votre pouce. Travaillez à partir du centre du pied droit, allez vers l'intérieur, passez sous les réflexes de la thyroïde et touchez les réflexes de la colonne vertébrale. Procédez de la même manière pour le pied gauche.

Si des nausées surviennent, cessez votre massage et recommencez quelques minutes plus tard, car les troubles de l'estomac répondent souvent très rapidement à la réflexologie parce que cet organe se trouve fortement irrigué de vaisseaux sanguins et de veines;

ainsi, une amélioration de la circulation peut enlever une douleur aiguë après quelques minutes de massage.

Un peigne de métal, pressé dans chaque main pendant dix minutes, représente un excellent moyen de calmer un estomac malade. Vous pouvez aussi *peigner* le dos de votre main en passant doucement les dents du peigne des extrémités des doigts jusqu'au poignet. N'exercez pas de pression sur le peigne ; son poids suffira. Si vous n'avez pas de peigne en votre possession au moment où surgit la douleur, utilisez vos ongles pour gratter votre peau.

Une autre technique excellente consiste à masser la chair entre le pouce et l'index de vos mains. Cette région se relie d'une façon particulièrement importante à votre estomac. Vous pouvez aussi placer des épingles à linge sur les doigts : les deux premiers doigts de la main droite et les trois premiers doigts de la main gauche.

Si vous avez un ulcère, en plus des réflexes de l'estomac, massez ceux de la pituitaire et des surrénales afin de libérer de la tension émotionnelle. (Voir chapitre du système endocrinien).

Les nausées, les vomissements, les indigestions et même les nausées matinales de la femme enceinte peuvent être soulagées par le massage des zones réflexes de l'estomac.

Si vous souffrez de nausées lors de voyages en automobile, en bateau ou en avion, pressez les réflexes de votre estomac. Votre oreille moyenne peut aussi être responsable de ces problèmes.

À ce moment, pressez sur les quatrième et cinquième orteils ou sur les quatrième et cinquième doigts. Si vous n'avez pas d'instruments (peigne, élastiques, épingles à linge), pressez vos doigts entre vos dents. Comme il faut calmer l'estomac, il est préférable d'exercer une pression plutôt que de masser circulairement. N'oubliez pas de presser les zones entre les orteils ou les doigts car des quantités prodigieuses de zones réflexes s'y trouvent. Pressez également à la base des orteils ou des doigts.

Même les pleurs de bébé peuvent s'arrêter comme par enchantement si vous *peignez* sa main quelques minutes et si vous touchez les réflexes de l'estomac.

hoquet

Le hoquet survient lorsque le diaphragme entre en spasmes. Il arrive quelquefois que cette ennuyeuse condition dure des jours. Une fois de plus, vous pouvez agir pour calmer ce muscle très important qui sépare le thorax de l'abdomen.

Chaque fois qu'un muscle entre en spasmes, il y a contraction des vaisseaux sanguins et la circulation se ralentit ; il s'avère essentiel que le diaphragme garde toute son élasticité afin que l'oxygène pénètre librement dans les voies respiratoires.

Le massage des points réflexes du diaphragme s'effectuera en même temps que ceux du plexus solaire. (Voir figure 23). Une dizaine de minutes d'un massage vigoureux donne presque toujours de bons résultats. S'ils ne se produisent pas, c'est que la pression manque de vigueur ou que la durée en est insuffisante.

Un autre excellent truc consiste à tirer la langue avec ses doigts et à la garder ainsi pendant cinq à dix minutes. Tenez-la entre vos doigts avec un mouchoir afin d'éviter qu'elle ne glisse.

affections de l'intestin grêle

Vous êtes ce que vous assimilez. C'est dans l'intestin grêle que l'assimilation se produit.

Les réflexes du petit intestin se trouvent au-dessus du talon et sous la ligne de la taille de chaque pied. Comme l'intestin grêle se situe dans les zones un, deux, trois et quatre, vous massez à partir de l'intérieur du pied et vous traversez presque toute la largeur du pied. Couvrez la région avec votre pouce ou utilisez votre jointure lorsque vous approchez du talon car l'épaisseur de la peau augmente dans cette région.

Une autre zone réflexe se situe autour de votre ombilic ou nombril. Pensez que c'est à travers l'ombilic que passent les liquides vitaux nourrissant le fœtus jusqu'à sa naissance. Après la naissance, le nombril demeure une région très importante parce qu'il y a autour quatre points réflexes qui permettent au duodénum et aux

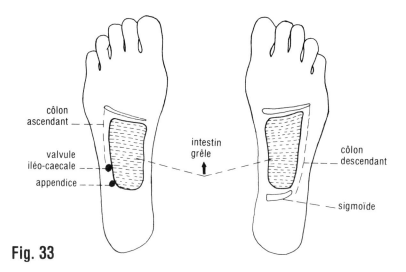

côlon ascendant

valvule iléo-caecale

appendice

intestin grêle

côlon descendant

sigmoïde

Fig. 33

trente premiers centimètres (douze pouces) du petit intestin de bien fonctionner. Chaque point traite approximativement huit centimètres (trois pouces) du duodénum et est numéroté 3 A,B,C,D, dans la figure 18. Les points 3 C et 3 D traitent également l'aorte abdominale ; vous sentirez sa forte pulsation sous vos doigts.

C'est dans cette portion de l'intestin que le sang artériel vient chercher les éléments nutritifs pour les amener par la veine porte jusqu'au foie et, de là, à toutes les régions du corps.

Ces quatre points doivent être pris en considération lorsque vous avez des problèmes digestifs : gaz, indigestion, ulcère du duodénum, digestion des huiles, des corps gras, des sucres et des amidons. Ils sont aussi très importants dans l'utilisation du calcium, dans les maladies cardiaques, dans les maux de dos chroniques et dans les troubles mentaux.

Rappelez-vous que la meilleure nourriture au monde est inutile si vous ne pouvez l'assimiler.

syndrome de la valvule iléo-caecale

Le syndrome de la valvule iléo-caecale se retrouve très fréquemment dans la population. Environ soixante pour cent des gens ressentent des problèmes au niveau de cette petite valvule. Cette valvule, située entre l'intestin grêle et le côlon, peut amener une myriade de symptômes; de ce fait, elle est certaines fois surnommée *la grande imitatrice* car elle laisse croire à des maladies ressemblant aux problèmes qu'elle provoque.

Elle peut donner des douleurs aux épaules, des douleurs soudaines au bas du dos, de la douleur autour du cœur, des étourdissements, des symptômes de la grippe, des pseudo-bursites, des bourdonnements d'oreilles, des nausées, des pseudo-infections des sinus, des pseudo-hypochlorydries de l'estomac, des maux de tête, de la soif soudaine, de la pâleur, des cernes foncés sous les yeux et un dérèglement du côlon. À cette liste, s'ajoutent les allergies.

Lorsqu'elle reste ouverte en permanence, beaucoup de mucus remonte du côlon à l'intestin grêle, au foie et, de là, aux voies respiratoires inférieures et supérieures et même jusqu'aux sinus, causant ainsi de nombreux problèmes.

Pour rétablir le bon fonctionnement de la valvule iléo-caecale, il faut abandonner pendant deux semaines les crudités, les noix, les épices, le café et le chocolat afin d'en diminuer l'irritation. Pour cette période, mangez des légumes cuits et utilisez des plantes adoucissantes (écorce d'orme, guimauve, graines de lin, etc.).

De plus, envoyez-lui un flot d'énergie vitale par le massage, en touchant la zone où commence le côlon ascendant, sous le pied droit, puisqu'elle se situe entre l'intestin grêle et le côlon ascendant.

Vous avez un autre point important, situé entre le nombril et la crête de votre hanche droite. Ce point, appelé longtemps *le point de McBurnie*, sert de diagnostic pour l'inflammation de l'appendice chez un patient, mais servez-vous-en pour votre valvule iléo-caecale car les deux réflexes se confondent presque.

Notez que ce point nous aide à éliminer les gaz intestinaux, augmente la mobilité du côlon et influence fortement la distribution de l'insuline. (45) Diabétiques et hypoglycémiques, pensez-y. Le méridien de la rate-pancréas passe par ce point et lie fortement la

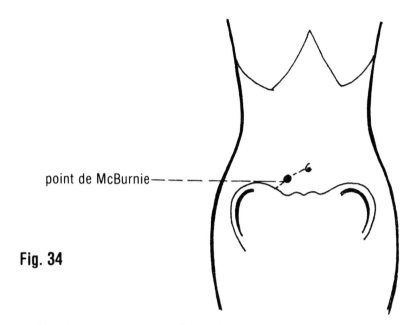

point de McBurnie

Fig. 34

distribution normale de l'insuline au bon fonctionnement de cette valvule.

Je peux ici, personnellement, témoigner de l'importance de la réflexologie lors de crises douloureuses provoquées par la valvule iléo-caecale. Au tout début de ma pratique de la réflexologie, je considérais cette technique comme un bon instrument de détection de l'état de santé des organes, mais je ne comprenais pas très bien la correction possible que la réflexologie permettait. Or, une journée, j'éprouvai une vive douleur au côté droit de l'abdomen. Celle-ci devenant intolérable, j'envisageai, à mon grand regret, de me rendre à une clinique d'urgence mais, avant de le faire, je demandai à mon mari de me masser sous le pied droit; cinq minutes plus tard, à ma grande surprise, la douleur cessa complètement et ne revint jamais.

colite

Le côlon, certaines fois, devient le siège d'inflammation douloureuse. À ce moment, il faut éviter la consommation d'aliments riches en cellulose (les fruits et les légumes crus, de même que les céréales) pour prendre des aliments émollients qui pansent l'intestin irrité (caroube, eau de riz, potage de carottes, graines de lin infusées, etc.).

Le massage du côlon entier est long puisque la zone couverte par les points réflexes représente une des surfaces les plus importantes du pied ; soyez sans crainte, la douleur d'un côlon inflammé saura très bien vous avertir de la zone à masser.

Je me souviens d'une petite fille de huit ans qui, lors d'un souper chez des amis, nous quitta pour aller pleurer au salon à cause d'une douleur aiguë dans son abdomen. Trouver la zone réflexe correspondante s'avéra un jeu d'enfant, car le point se révéla d'une sensibilité fortement marquée sous le pied. Je massai doucement pendant cinq minutes, tout en conversant avec elle. Puis, voyant la bonne humeur revenue, je m'enquis de sa douleur et, vous vous en doutez, il n'en restait plus de trace.

La situation de ces réflexes intestinaux correspond à la figure 33.

La zone intestinale est d'une importance capitale. Les orientaux appellent *Hara* un point situé à quelques centimètres sous le nombril. Ils affirment que les énergies de chaque partie du corps circulent suivant une harmonie dont la somme représente une spirale centrée dans le *Hara*. Lorsque les énergies sont en discordance, même si elles s'avèrent très fortes, il en résulte de la fatigue et de la faiblesse. Au contraire, les énergies bien harmonisées, même si elles sont faibles, peuvent amener de la vitalité et de la force. Donc, pensez à vos intestins.

Vous notez que le côlon ascendant se situe sous le pied droit, de même que la moitié du côlon transversal, puisque le côlon traverse l'abdomen de droite à gauche, en passant sous les réflexes du foie, de l'estomac et de la rate, au niveau de la taille, pour descendre sous le pied gauche.

Ceux qui sont incommodés par un côlon paresseux ou une colite trouveront ces points particulièrement sen-

---

* La colite s'accompagne souvent de diarrhée, l'eau argilée est un remède souverain pour corriger ce problème. Mettre une demi-cuillerée à thé d'argile blanche dans un verre d'eau, le soir au coucher et boire cette eau au réveil sans remuer l'argile qui s'est déposée au fond du verre.

sibles. Pour déterminer quelle portion du côlon se trouve spécialement affectée, commencez par masser le pied droit juste au-dessus du talon avec une pression ferme de votre pouce gauche et massez dans l'ordre le côlon ascendant, transversal, descendant et le sigmoïde. Massez à partir du talon droit jusqu'à la taille et dirigez-vous vers le centre du pied pour continuer jusqu'à la colonne vertébrale, en chassant les points douloureux, manifestations extérieures de troubles intérieurs. Puis, allez au pied gauche, au niveau de la taille, à partir de la colonne vertébrale pour vous rendre vers le centre et, de là, au côlon descendant qui se termine au talon.

Attention: l'anse du sigmoïde où s'accumulent une grande partie des déchets en attendant leur élimination, se touche difficilement avec les doigts. Du fait que ses réflexes s'enfoncent dans le talon, vous devrez utiliser une jointure ou un instrument (crayon, bilboquet, etc.) pour atteindre cette zone. À noter qu'un sigmoïde dilaté ou une inflammation peuvent provoquer une concentration de gaz qui presse sur le diaphragme et dans la région du cœur, faisant croire à un problème cardiaque, alors que son origine se situe à l'anse du sigmoïde.

Massez aussi tout le long de l'avant de vos jambes, allant du genou aux malléoles, le long du tibia. Cette zone très importante devra être touchée selon la tolérance des gens car même un contact léger s'avère souvent douloureux. Vous toucherez de la sorte les nerfs reliés à tout le côlon. Voir figure 18, point 21.

affections du rectum et de l'anus

Les hémorroïdes ayant été traitées au chapitre de la *réflexologie et le système cardio-vasculaire*, voyons comment améliorer cette région du corps.

Lorsque le rectum est descendu, la ptose provoque de l'œdème et l'inflammation peut causer une agonie incroyable. Le bénéfice de la réflexologie se fait nettement sentir pour régler ce problème sérieux. Vous utiliserez la méthode pratiquée pour vous libérer des hémorroïdes, car la région impliquée est la même. (Voir figure 29).

Comme le rectum varie en longueur de six à huit pouces (15 à 20 centimètres), les points sensibles peuvent s'étendre sur trois à cinq pouces (8 à 13 centimètres), allant du talon jusqu'au mollet en passant par le tendon d'Achille. La douleur peut être au paroxysme si la zone présente de l'inflammation. Serrez les dents et pensez au bien-être que vous ressentirez lorsque cette désagréable condition sera chose du passé. De plus, quand vous massez cette région, vous envoyez de l'énergie vitale à toute la région lombaire.

Dans la région de l'anus, une vive démangeaison peut causer beaucoup d'inconfort. Venant souvent d'une allergie alimentaire ou des produits renfermés dans le papier de toilette, cette sensation ennuyeuse peut se soulager en éliminant l'allergie et en massant, sous le pied, l'extrémité inférieure de la colonne vertébrale.

appendice inflammé

L'appendice est un petit tube de trois à six pouces (8 à 15 centimètres) de long, situé très près de la valvule iléocaecale. Vous retrouverez son point réflexe sous le pied droit. S'il y a congestion à cet endroit, quelques traitements devraient suffire pour l'éliminer. Le point de McBurnie devra aussi être massé. (Voir la figure 34). Cependant, lors d'une inflammation aiguë, n'hésitez pas à consulter un médecin et évitez tout massage sur le point de McBurnie.

constipation

Plusieurs causes s'unissent pour amener de la constipation, mais les plus fréquentes sont une alimentation déficiente, une insuffisance de liquide, une mastication insuffisante et de la négligence à obéir à l'appel de la Nature.

Si ce problème vous afflige, pensez à masser quatre points merveilleux autour de votre ombilic. Voir fig. 35.

Le premier point permet de libérer le contenu intestinal lors de constipation et représente un point spécifique pour corriger des palpitations de cœur.

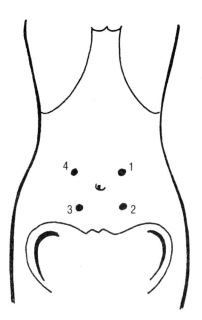

Fig. 35

Le deuxième point touche l'anse du sigmoïde juste avant le rectum et l'anus et il permet de corriger la constipation due à la congestion de cette partie du côlon.

Le troisième point (point de McBurnie) a été vu au numéro précédent. Rappelez-vous qu'il influence le côlon, la valvule iléo-caecale, l'appendice et la distribution de l'insuline.

Le quatrième point agit au niveau de la bile. La bile étant essentielle pour la digestion des corps gras et pour empêcher la constipation, ce point vous aidera grandement.

D'autres points très importants contre la constipation se situent au niveau du visage. (Voir figure 17, points 3, 7, 14, 20).

Le tracé du méridien du côlon révèle qu'une section importante du méridien interne passe près de la racine de la langue. Ainsi, la mastication représente une opportunité merveilleuse pour masser les réflexes du côlon. Il est bien connu que lorsque la mastication cesse, comme lors d'un jeûne, par exemple, le côlon n'a plus de péristaltisme. À l'inverse, une mastication vigoureuse produit une élimination énergique. (46) Voir fig. 36.

méridien interne et externe du côlon

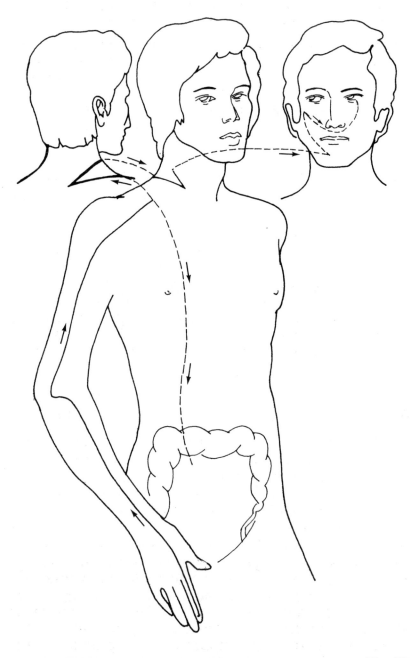

.... : Trajet du méridien interne du côlon.

_____ : Trajet du méridien externe du côlon.

Fig. 36

Le pied offre, comme toujours, des points intéressants. Massez les points correspondants aux intestins. (Voir figure 33). N'oubliez pas la région du foie car sa bile joue un grand rôle pour éliminer la constipation.

Il va sans dire que vous devez ajouter suffisamment d'eau à votre régime quotidien, de même que des aliments riches en fibres qui agiront comme le balai des déchets accumulés et adieu la constipation car tous ces efforts conjugués aboutiront à des résultats positifs.

gaz

Une diète riche en féculents et sucre cause souvent une fermentation qui provoque des gaz. Si vos repas comportent cette combinaison (sucre-féculents), modifiez-la et les gaz diminueront.

En cas d'urgence, si ce problème survient, massez le devant de votre jambe, tel qu'illustré dans la figure 18, point 21. Vous serez soulagé après quelques minutes. Massez également la région de l'estomac, des intestins et du pancréas sous le pied. Touchez ces points plusieurs semaines après que les gaz auront disparu, afin de maintenir une bonne digestion, clé indispensable de la santé.

affections du foie

Lorsque cet important organe a été négligé depuis longtemps, il peut survenir du diabète, des pierres dans la vésicule, de la jaunisse, de l'atrophie, de la sclérose, de la constipation, etc. Sans aucun doute, vous obtiendrez des bénéfices si vous touchez cette précieuse zone.

Cependant, un mot d'avertissement: si votre foie fonctionne au ralenti, massez-le très peu la première fois. Allez-y délicatement pendant une minute ou deux, puis cessez. Vous pouvez espérer plusieurs réactions différentes de ce massage du foie, car la Nature utilise beaucoup cette voie pour rejeter les toxines en excès et s'ajuster à une circulation améliorée. Il peut survenir des crises de guérison provoquées par le grand ménage corporel. Ne vous en inquiétez pas; supportez ces désagréments qui se manifestent souvent sous forme de fatigue ou de diarrhée et vous serez récompensé au centuple par la suite.

Si le foie est congestionné, il se peut que la douleur ressentie soit sourde plutôt qu'aiguë. La zone du foie se situe sous le pied droit et constitue une surface importante à couvrir puisque le foie est le plus gros organe du corps.

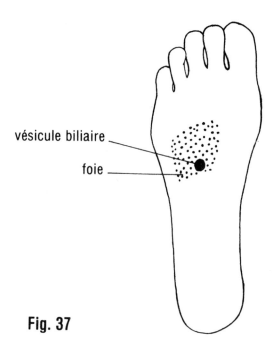

vésicule biliaire

foie

Fig. 37

Si le foie est déréglé, vous trouverez aussi des points sensibles situés entre le pouce et l'index de la main droite. De plus, vous pouvez utiliser un peigne et en presser les extrémités sur les trois derniers doigts de la main droite ou directement sur la zone réflexe du foie dans la main.

affections de la vésicule biliaire

La vésicule biliaire renferme certaines fois des petites masses très dures appelées pierres. Plusieurs fois, des gens évitèrent une opération par le massage des réflexes du foie et de la vésicule. La relaxation induite par le massage permet aux pierres de passer par les voies biliaires pour être ensuite éliminées par les intestins.

La vésicule biliaire, située à la surface inférieure du lobe droit du foie, possède ses réflexes légèrement en-dessous et vers le centre des réflexes du foie. (Voir numéro précédent). Voir fig. 37.

Si vous trouvez des points sensibles dans cette zone, massez-les. Ne tentez pas d'éliminer toute douleur la première fois, car la congestion logée là depuis longtemps doit diminuer graduellement.

La vésicule biliaire se trouve en relation si étroite avec le foie que le massage touche les deux zones simulta-nément. Massez deux minutes au début, puis augmentez pour en arriver à dix minutes. Étendez votre massage sur une période d'une vingtaine de semaines, au rythme de trois à quatre fois par semaine et vous aurez peut-être l'heureuse et l'agréable surprise d'entendre le radiologue vous dire : « *vésicule normale* ».

obésité

L'obésité est un excès d'embonpoint occasionné par une surcharge graisseuse du tissu sous-cutané. Bien que causé très souvent par des déséquilibres de la nutrition, ce problème provient certaines fois d'un trouble glandu-laire. Donc, vérifiez d'abord les réflexes du système endocrinien, particulièrement la thyroïde, la pituitaire et les glandes génitales.

Passez en revue votre nutrition et tentez d'acheter des aliments complets (farine de blé entier, riz brun, etc.) car le corps instinctivement vous pousse à moins manger lorsqu'il reçoit les éléments nutritifs essentiels en plus forte concentration. Plus les aliments sont raffinés, plus le bol alimentaire se doit d'être volumineux afin de fournir au corps les éléments nutritifs requis pour son bon fonctionnement.

Vérifiez également les allergies alimentaires possibles en utilisant un test de pulsations mis au point par Arthur F. **COCA**, M.D. Les allergies alimentaires mènent insidieusement à l'obésité en forçant l'individu à manger beaucoup et souvent. C'est un mécanisme non conscient qui pousse l'individu à manger ; en effet, s'il y a allergies alimentaires, le corps sait que chaque fois qu'il consomme un allergène, il y a une stimulation agréable de l'organisme. Cette stimulation est suivie d'une baisse d'énergie cependant. Ce cercle vicieux conduit à **choisir de préférence les aliments auxquels vous êtes allergiques** lorsque vous ouvrez le réfrigérateur car, je le répète, votre corps sait déjà l'effet agréable de stimulation **temporaire** que l'allergène lui procurera.

Heureusement, vous pouvez déterminer avec une grande précision quels aliments stimulent ainsi votre corps en prenant vos pulsations durant une minute avant de prendre un repas, puis vous reprenez de nouveau les pulsations cardiaques trente et soixante minutes après le repas. Il est normal d'avoir quelques battements de plus après le repas. Si le nombre de battements augmente d'une dizaine, attention ! c'est suspect. Passé quatre-vingt-quatre pulsations-minute, il y a presque toujours allergie. Vérifiez alors le contenu du repas coupable et procédez à des tests sélectifs en ne vérifiant qu'un aliment à la fois.

Pour vous aider à perdre du poids, la réflexologie vous offre des points importants dans les oreilles. Cinq nerfs crâniens d'importance majeure étendent leurs ramifications dans les oreilles ; un d'entre eux est le nerf vague ou nerf pneumogastrique, qui affecte les sécrétions et les mouvements du système gastro-intestinal.

Ces zones, marquées d'un point et de flèches, doivent être massées durant au moins une minute de quatre à six fois par jour, de préférence avant les repas. Pour effectuer votre massage, pincez, entre le pouce et l'index, la zone indiquée par les flèches et pressez celle marquée d'un point (voir fig. 38).

Massez l'une ou l'autre des deux paires de points. Si l'une des paires n'agit pas pour vous, massez l'autre. Si ces points doivent s'avérer utiles pour apaiser la faim, vous vous en rendrez compte immédiatement. Ces points stimulés constamment perdent de leur efficacité après deux à quatre semaines d'utilisation. À ce moment, vous cessez les massages pendant environ quatre mois et

Fig. 38

vous recommencez encore pendant deux à quatre semaines.

Le massage de ces points calme la faim pour une période s'étendant d'une à quatre heures. Ainsi, vous agirez sur votre nerf vague en passant par vos oreilles. N'est-ce pas fantastique?

Actuellement, de plus en plus d'acupuncteurs utilisent les oreilles pour poser une agrafe que le patient bouge pendant une minute s'il désire couper sa faim. Cette technique coûte de l'argent et exige que le patient se déplace. Avec la réflexologie, rien de tel. Sans frais et sans perte de temps inutiles, vous pouvez vous traiter vous-même, chez vous.

XI
réflexologie et
le système génital

description du
système génital masculin

Les glandes génitales masculines comprennent les
testicules, les voies spermatiques, la prostate et la verge.

les testicules

Ce sont deux glandes situées dans un sac en peau
appelé scrotum. Dans chaque testicule s'enroulent au-
delà de trois cents tubes séminifères où se forment les
spermatozoïdes ou cellules sexuelles mâles. Ils fournissent la testostérone, hormone sexuelle mâle ; cette
hormone est responsable du développement des caractéristiques sexuelles secondaires.

les voies spermatiques

Après leur formation, les spermatozoïdes quittent les
testicules par deux canaux en forme d'anse appelés
épidydimes. Ces canaux comportent une tête, un corps
et une queue, appliqués sur le flanc externe et en arrière

des testicules. À la suite des épidydimes, les deux canaux déférents, ou spermiductes, entrent dans la cavité abdominale en passant par le canal inguinal et forment le cordon spermatique en compagnie des vaisseaux destinés aux testicules ; ces canaux fibreux et blanchâtres se terminent en une ampoule bosselée servant de réservoir aux spermatozoïdes.

Deux vésicules séminales sont branchées sur les canaux déférents, en arrière de la prostate et sécrètent un liquide destiné à diluer la bouillie épaisse des spermatozoïdes en réserve dans l'ampoule du déférent. Finalement, des canaux éjaculateurs creusés dans la prostate véhiculent le liquide vésiculaire et les spermatozoïdes dans l'urètre.

la prostate

C'est une glande siégeant sous la vessie et reposant sur le plancher périnéal. Elle est traversée par l'urètre et son rôle consiste à être le siège des mélanges aboutissant à la fabrication du sperme (spermatozoïdes en suspension dans les liquides alcalins) et à fournir un liquide de dilution pour le sperme.

la verge

La verge se situe à la partie inférieure de l'abdomen ; elle se termine par un renflement, appelé gland, à l'extrémité duquel le méat urinaire de l'urètre prend place.

description du système génital féminin

Les glandes génitales féminines comprennent les ovaires, les trompes de Fallope, l'utérus, le vagin et la vulve.

les ovaires

Ce sont des glandes doubles et symétriques situées dans le bassin. Elles mesurent trois centimètres de diamètre et sont de couleur blanc-gris. Elles possèdent deux zones : une zone centrale, molle, vasculaire et nourricière et une zone corticale, résistante, germinative, renfermant environ 300 000 follicules. Elles ont deux fonctions majeures : le développement et l'expulsion de l'ovule, et la production d'hormones sexuelles féminines.

les trompes de Fallope

Les trompes utérines mesurent onze centimètres. Ce sont les antennes creuses de l'utérus qui s'abouchent aux deux cornes utérines et s'ouvrent par un pavillon frangé dans le péritoine près des ovaires. La trompe reçoit l'ovule par sa partie externe et sa structure conjonctivo-musculaire le fait progresser vers l'utérus dans une période de trois à six jours. C'est dans la trompe que se produit la fécondation.

l'utérus

C'est un corps musculaire creux qui occupe l'axe du bassin. Il se situe en arrière de la vessie et en avant du rectum. Il représente l'organe de la gestation. Il possède deux orifices pour les deux trompes insérées de part et d'autre de son fond et un autre orifice, au voisinage de l'isthme, se fixe sur la paroi du vagin. Il comprend un corps cylindroïde et un col séparé par un isthme.

le vagin

C'est un conduit musculo-aponévrotique de sept à huit centimètres de long qui conduit du col de l'utérus à la vulve. La muqueuse vaginale est gaufrée et sécrète un mucus visqueux.

la vulve

C'est l'orifice d'entrée du vagin. C'est le vestibule

commun à l'appareil urinaire et à l'appareil génital de la femme, car l'urètre débouche en haut et le vagin en bas.

indications de massage du système génital

affections de la prostate

En vieillissant, il arrive que la prostate s'hypertrophie progressivement et qu'elle obstrue l'urètre empêchant le passage de l'urine. Avec la réflexologie, vous pouvez réduire les dimensions de la prostate et permettre à l'urine de s'écouler librement.

Son réflexe se situe sur les pieds dans la première zone. Toute indisposition chronique de cette glande amène une congestion douloureuse des réflexes. Ceux-ci s'étendent à partir du talon en montant le long du tendon d'Achille. Vous constatez que ceux-ci coïncident presqu'avec les réflexes du rectum, puisque la prostate se place directement devant le rectum. Voir fig. 39.

Notez que le pouce presse un côté du talon tandis que l'index presse l'autre côté. Essayez un mouvement de pression rotatif et massez chaque pied pendant deux minutes environ, et ce, quatre fois par semaine. Un autre point important à masser lors des crises aiguës se situe entre le talon et la malléole de chaque pied ; ce point traite aussi le pénis. Vérifiez aussi la zone de la pituitaire.

Habituellement, plusieurs semaines sont requises pour retourner cette glande à la normale et éviter une opération. Cependant, deux ou trois traitements peuvent diminuer de beaucoup l'inconfort causé par ce problème.

Le docteur **FITZGERALD** croit fermement que les réflexes de la langue exercent le plus d'influence pour contrôler la douleur et le mauvais fonctionnement des organes de reproduction. À ce moment, utilisez un abaisse-langue que vous appliquez aux trois quarts de la

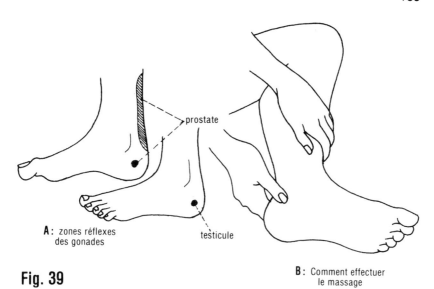

A : zones réflexes
des gonades

testicule

prostate

B : Comment effectuer
le massage

Fig. 39

distance de celle-ci, en plein centre, puisque la prostate se trouve dans la zone «*un*». Tenez cette pression fermement pendant deux ou trois minutes et relaxez ensuite.

menstruations supprimées ou trop abondantes

Un point réflexe d'une grande efficacité se situe aux trois quarts de la distance de la langue vers la base. Pressez un abaisse-langue ou le manche d'une cuillère à thé deux ou trois minutes, puis relâchez. Répétez trois ou quatre fois. Notez que les organes génitaux se situent dans les zones un, deux et trois; aussi, vous irez au centre et un peu de chaque côté.

Fait surprenant, les menstruations surviennent certaines fois immédiatement après le traitement. Il va sans dire que les points situés aux pieds s'avèrent aussi très efficaces. La Nature a situé les points réflexes des importants organes génitaux au-dessus de la plante des pieds afin de protéger ceux-ci d'une stimulation excessive lors de la marche.

Massez le tendon d'Achille au-dessus du talon. En plus de l'utérus, une partie du sciatique, du côlon et du rectum seront touchées. Tous ces organes se retrouvent si intimement liés dans le corps qu'il est aisé de comprendre leur proximité lors du massage.

Les ovaires se situent au milieu de la distance séparant le talon de la malléole externe, et l'utérus, au milieu de la distance séparant le talon de la malléole interne. Les réflexes des trompes de Fallope se trouvent sur le dessus du pied, allant d'une malléole à l'autre.

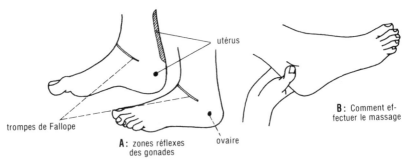

utérus

B : Comment effectuer le massage

trompes de Fallope

A : zones réflexes des gonades

ovaire

Fig. 40

Utilisez un mouvement rotatif modéré car, dans cette zone, se concentrent souvent des points d'une douleur intense. De plus, diminuez le temps habituel de dix minutes à deux minutes par pied environ. Massez toujours les deux pieds car ces glandes se situent de chaque côté du corps ; assurez-vous de donner à chaque pied une égale stimulation, sinon, il se peut que des toxines soient transférées de l'ovaire congestionné à l'ovaire sain.

Masser plus souvent mais moins longtemps est la règle pour les zones réflexes des organes génitaux. Rappelez-vous que la reproduction n'est pas le rôle unique des organes et des glandes sexuelles et que ceux-ci agissent aussi sur votre bien-être physique et même sur votre état d'esprit.

Si les menstruations surviennent trop fréquemment, ou avec trop de pertes sanguines, n'utilisez pas la pression sur la langue mais peignez le dos de votre main avec les dents d'un peigne et pressez les zones un, deux et trois de vos doigts, c'est-à-dire le pouce, l'index et le majeur. Le pouce s'avère particulièrement utile et la pression à la base du pouce très efficace, puisque les gonades, ou glandes sexuelles, se situent dans la région inférieure du corps. Si vous utilisez des élastiques ou des épingles à linge, placez-les le plus près possible de la main et gardez cette pression dix à quinze minutes.

Rappelez-vous que pour stimuler et guérir, nous utilisons un mouvement rotatif de massage et que pour calmer la tension ou soulager la douleur, nous utilisons une pression.

Couvrez la zone s'étendant sur votre poignet car elle renferme aussi des réflexes liés à vos organes génitaux. (Voir figure 16).

menstruations douloureuses

En utilisant un abaisse-langue, vous pouvez contrôler les heures douloureuses des menstruations comme par magie. Vous pouvez éliminer la douleur du bas du dos et des cuisses de même que les crampes souvent associées à ce problème.

Vous appliquez le manche d'une cuillère aux trois quarts de la langue, tel que décrit précédemment. Plusieurs femmes, qui devaient s'aliter deux ou trois jours chaque mois ou utiliser de nombreux médicaments, se libèrent de leurs problèmes menstruels en déposant dans leur sac à main une simple cuillère.

Exercez également une pression en utilisant, selon votre préférence, peigne, épingles à linge ou élastiques, sur le pouce, l'index et le majeur de chaque main, puisque les organes génitaux se situent dans les zones un, deux et trois. Touchez aussi les points des pieds représentant les organes génitaux illustrés dans la figure 40.

Vous réalisez que je recommande plusieurs points importants pour guérir un même malaise. Vous devrez choisir le ou les points les plus efficaces pour votre corps. Souvent, vous pouvez appliquer simultanément plusieurs points et, de ce fait, vous gagnez du temps.

grossesse

Durant la grossesse, les problèmes les plus fréquents sont les nausées matinales, les vomissements et les étourdissements. Si vous souffrez de nausées matinales, croisez les mains et serrez fortement les doigts dix minutes par jour. Le massage des réflexes de l'estomac peut également vous aider beaucoup, de même que la pression sur les doigts grâce aux épingles à linge ou aux élastiques. (Si ces derniers sont utilisés, pensez à surveiller la circulation sanguine car, à aucun moment, celle-ci ne doit être coupée).

Je dois avertir ici qu'**une femme enceinte ne doit jamais utiliser l'abaisse-langue** pour exercer des pressions sur celle-ci puisque l'abaisse-langue peut déclencher les menstruations dans quelques minutes. La logique nous fait comprendre qu'un avortement risque de se produire à la suite de ce traitement. Je vous recommande aussi d'éviter le massage des zones correspondant à l'utérus ou aux ovaires durant la grossesse. Tenez-vous-en aux pressions sur les doigts et tout ira très bien.

accouchement sans douleur

De nouveau, l'usage du peigne s'avère très précieux. Dès que les contractions commenceront, la future maman utilisera un peigne qu'elle pressera dans chaque main. La pression dans les mains relaxera les muscles et permettra au bébé de naître dans un temps plus court et avec beaucoup moins de douleurs pour la maman. Les dents du peigne seront tenues serrées contre les paumes des mains aussi solidement que possible, en gardant une pression constante. Lorsque la fatigue se fera sentir dans les mains, elle relâchera la pression quelques minutes et elle recommencera. Pour rendre la pression plus confortable, elle tournera le peigne en ayant les dents pressées contre les doigts cette fois.

Il va sans dire qu'elle pourra simplement serrer les mains très fort et qu'elle ressentira une diminution de la douleur bien que l'usage des peignes se révélera encore plus efficace, car ils lui permettront une pression suffisante et constante.

En plus de serrer les peignes, si elle le peut, elle pressera ses deux pieds contre une surface dure. Elle pourra aussi diminuer la douleur en pressant sa langue entre ses dents. Cependant, qu'elle ne s'avise pas d'utiliser ces techniques sans la présence d'un médecin, car le bébé pourrait naître plus vite que prévu et la placer dans un sérieux embarras.

avortement

Un avortement représente souvent une expérience qui affecte grandement la stabilité émotionnelle et physique d'une personne. S'il y a menace d'avortement, vous peignerez le dos de vos mains plusieurs minutes et répéterez ce procédé à chaque heure. Vous exercerez aussi une pression sur la première jointure de chaque orteil (près de l'ongle). Exercez la pression dix minutes avec des épingles à linge ou des élastiques en surveillant bien pour que la circulation sanguine ne soit pas coupée.

ménopause

La ménopause représente une période transitoire entre la vie sexuelle féconde et l'absence de menstruation signifiant que la conception d'un être humain est devenue impossible. Le changement drastique dans l'équilibre hormonal, qui survient à cette période, peut causer bien des ennuis. Une fois de plus, utilisez la réflexologie et vous passerez à travers l'âge de la ménopause beaucoup plus allégrement. Si vous êtes âgée de 45 à 50 ans, appliquez des pressions sur tout le système endocrinien (Voir figure 20). Les traitements sont de dix minutes par jour, trois fois par semaine.

XII
réflexologie et le système respiratoire

description du système respiratoire

L'appareil respiratoire introduit dans le corps l'oxygène indispensable à la vie des cellules et rejette au-dehors le gaz carbonique, déchet de la vie cellulaire. Cet appareil comprend les voies respiratoires supérieures et les poumons.

les voies respiratoires supérieures

Elles débutent par les fosses nasales s'ouvrant au-dehors par les narines et dans le pharynx par deux orifices appelés choanes. Les fosses nasales sont tapissées par une muqueuse ciliée qui sécrète du mucus et qui filtre l'air. Les sinus du crâne débouchent dans les fosses nasales.

Vient ensuite le pharynx qui représente un endroit de passage commun à l'air et aux aliments. On y trouve les amygdales (barrière de défense contre les microbes). Sur les faces latérales du rhino-pharynx, s'ouvre la trompe d'Eustache qui débouche au niveau des oreilles.

Le larynx suit le pharynx et précède la trachée. Ce tube creux se place devant l'œsophage et les cordes vocales, au nombre de quatre, s'y insèrent. C'est l'instrument de la phonation, c'est-à-dire qu'il permet l'ensemble des mécanismes par lesquels l'homme produit les sons et les émet.

Le conduit de la trachée suit le larynx et donne naissance aux bronches. Longue de douze centimètres, chacune des bronches se compose de seize à vingt anneaux cartilagineux. La trachée se divise en deux bronches qui, à leur tour, se subdivisent pour aboutir aux bronchioles, s'ouvrant dans une vésicule du poumon.

les poumons

Les poumons se logent dans la cage thoracique. Ces organes pairs reposent sur le diaphragme. Leur couleur est gris-rosé, leur consistance molle et élastique et ils pèsent environ un kilogramme chacun. Le tissu pulmonaire est constitué d'une grande quantité de petits ballonnets, les vésicules pulmonaires. Chaque vésicule possède des bosselures appelées alvéoles ; leur diamètre ne dépasse pas $2/10^e$ de millimètre. On estime à deux millions le nombre de vésicules des deux poumons et leur surface étalée couvrirait 200 m², soit environ trente fois la surface de toute notre peau. Le nombre des alvéoles est de 500 millions. Les poumons sont richement irrigués de capillaires sanguins qui les entourent d'une nappe évaluée à 150 m². Les lamelles alvéolaires et la paroi des capillaires pulmonaires voient leurs échanges s'effectuer à travers une membrane très ténue de l'ordre de deux microns. On peut noter que le micron vaut $1/1000^e$ de millimètre. Impressionnant, n'est-ce pas ?

Les poumons sont enveloppés de deux membranes protectrices appelées plèvres. Elles permettent d'exécuter environ seize mouvements respiratoires à la minute chez l'adulte. En vingt-quatre heures, les poumons reçoivent 20 000 litres de sang et 10 000 litres d'air, renfermant 20% d'oxygène ; ce qui représente 2 000 litres d'oxygène. De ces 2 000 litres d'oxygène, l'organisme n'en absorbe que 500 litres et il rejette 400 litres de gaz carbonique, de même que 300 ou 400 grammes de vapeur d'eau. La capacité pulmonaire totale correspond à environ cinq litres d'air.

indications de massage du système respiratoire

rhume

Un rhume représente un ménage que l'organisme exécute afin de se débarrasser des toxines acides et des poisons, par les pores de la peau, les sinus, le nez et la gorge. Il ne faut pas contrecarrer ce grand ménage mais aider le corps dans cette voie en lui donnant des infusions chaudes, une nourriture très légère, de la vitamine C et en pratiquant la réflexologie sur les régions des orteils qui correspondent aux sinus, au nez et à la gorge.

La gomme de pin — ou de sapin — s'avère extrêmement efficace pour soigner la grippe. Mélangez, à partie égale, de la gomme de sapin — ou de pin — déjà liquifiée au bain-marie à de l'huile végétale de votre choix. Vous n'avez alors qu'à ajouter une once (30 grammes) de ce liniment à l'eau très chaude de votre bain pour être revigoré. Vous pouvez diminuer la congestion des sinus qui accompagne souvent la grippe en frictionnant les tempes, le dessus des sourcils, le nez, l'arrière des oreilles et la gorge pendant trois à quatre minutes avec ce même liniment.

Les produits des résineux du Québec, tout comme ceux de notre flore, ont autant de vertus curatives que les plantes exotiques. Pensons-y!

Touchez aussi les réflexes des poumons (voir dans ce chapitre la figure 46) et massez légèrement les réflexes des reins. Pour éliminer la fièvre, touchez la pituitaire toutes les trente minutes. Ne massez que ces points et laissez les autres zones tranquilles afin d'éviter une surcharge de toxines. Patientez si vous sentez que votre énergie est à la baisse car le corps, dans sa sagesse, détourne une grande partie de votre énergie vers le grand ménage qu'il effectue. Reposez-vous et votre organisme retrouvera une énergie plus grande qu'auparavant.

sinusite

Souvent, les cavités, appelées sinus, s'infectent et provoquent des décharges de mucus qui, à leur tour, amènent des maux de tête et de gorge. La réflexologie s'avèrera très utile, mais combinez-la avec un régime moins toxique. Coupez le café, le thé, le chocolat, les boissons gazeuses, le sucre blanc. Remplacez le thé, le café et les boissons gazeuses par des infusions de menthe, d'oranger, etc. ; le chocolat par du caroube et le sucre blanc par un peu de miel. De plus, une addition de vitamine C se révèle souvent très utile.

Les points à masser concernent particulièrement les orteils qui représentent les réflexes des sinus. Les sinus se situant dans la tête, vous attaquez en premier lieu le gros orteil et vous le massez tout le tour avec une attention spéciale à la partie centrale. Couvrez tous les autres orteils en touchant bien la partie charnue et renflée des extrémités de même que la base des orteils ; si le problème est chronique, massez tout le tour. Un point d'une importance particulière se situe entre le deuxième et le troisième orteil, à la base de celles-ci.

La torsion, l'étirement et le craquement des orteils procurent une grande détente. Ma technique préférée s'appelle la «traite»; il suffit de penser à l'opération mécanique de la traite des vaches pour savoir traire les orteils.

Un point **à retenir obligatoirement** est que la valvule iléo-caecale est souvent la cause directe des sinusites et de bien d'autres troubles des voies respiratoires supérieures. Donc, vérifier l'état de cette très petite mais si importante valvule. (Voir chapitre X, figures 33 et 34).

De plus, des points faciles d'accès se logent au niveau du

visage. Pressez, relâchez et pressez de nouveau ces points et vous amènerez ainsi une décongestion de vos sinus (voir figure 17, point 20).

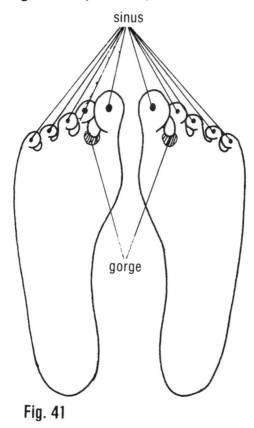

Fig. 41

Votre malaise ne disparaîtra pas instantanément mais vous éprouverez du soulagement. Persévérez quelques mois et cette ennuyeuse condition deviendra chose du passé.

saignement du nez

Différentes causes peuvent provoquer des saignements de nez. Une carence en vitamine C et en bioflavonoïdes occasionne ce phénomène, en modifiant la perméabilité des capillaires sanguins qui irriguent le nez; de même, un choc brutal ou de l'hypertension artérielle peuvent causer ce malaise.

Comme le nez se situe en plein centre du visage, une serviette trempée dans de l'eau froide et placée sur la nuque fera merveille.

fièvre des foins

La fièvre des foins réagit à la réflexologie dans presque tous les cas; alors, je recommande à ceux qui se trouvent affligés par ce problème irritant de lire attentivement ce qui suit.

Une inflammation aiguë du nez amène une irritation des nerfs de cette région et une diminution de la circulation sanguine, ce qui cause encore plus de pression sur les muqueuses nasales.

Un grand nombre de gens souffrant de la fièvre des foins ont des problèmes dans le nez: déviation de la cloison nasale, polypes, etc. Rencontrez d'abord un spécialiste pour régler cette situation et massez les points réflexes ensuite.

La fièvre des foins se soigne comme la sinusite en massant les réflexes des gros orteils. Lorsque vous voulez arrêter l'interminable éternuement qui accompagne la fièvre des foins, pressez avec votre pouce la région du palais qui se situe sous le nez et à l'intérieur de la bouche. Pressez de quatre à huit minutes à la fois et répétez environ six fois par jour. Un de mes amis utilise cette pression qui arrête les éternuements dès le début et cela lui procure un soulagement de sa fièvre des foins.

Vous pouvez aussi obtenir du soulagement en serrant la lèvre supérieure entre les dents ou en utilisant un abaisse-langue que vous pressez plusieurs fois par jour sur le centre de la langue environ. De plus, il peut s'avérer utile d'exercer une pression sur le pouce et l'index ou de toucher les points du visage illustrés dans la figure 42-A.

Au niveau du visage, dilater les narines en utilisant le pouce et l'index de chaque main. Non seulement votre fièvre des foins s'atténuera mais tous les autres problèmes affectant le nez se régleront en grande partie. Voir fig. 42 B.

Figure A

Figure B

Figure 42

mal de gorge

Lorsque votre gorge s'irrite, appliquez la réflexologie et vous diminuerez fortement ce malaise. Le pharynx devient souvent inflammé lorsque la gorge fait mal. Plusieurs fois par jour, gargarisez-vous avec une solution antiseptique (eau et sel ou 40% de vinaigre de cidre de pomme et 60% d'eau), puis travaillez les réflexes de votre gorge sous le pied.

De la même manière que votre gorge se place sous votre tête et qu'elle attache celle-ci au corps, les réflexes de la gorge se trouveront à la base du gros orteil où celui-ci s'attache au pied. Vous toucherez en même temps les réflexes des amygdales puisque les amygdales se situent dans l'arrière-gorge.

Si le malaise provient d'une infection, le massage peut vous en libérer dans les vingt-quatre heures, mais si cette condition persiste, pensez à nettoyer votre organisme et placez-vous dans l'expectative d'un corps propre à l'intérieur grâce en partie à la merveilleuse réflexologie, qui remet en circulation des déchets emmagasinés dans les tissus afin que l'organisme les élimine.

toux

Une toux persistante, telle que celle causée par le rhume, la fièvre des foins, faux croup, etc., fatigue beaucoup un organisme. L'application de pression sur certains points apportera un soulagement très souhaité.

Sortez votre langue et tirez-la lentement, le plus possible, vers le menton et laissez-la ainsi pendant deux minutes ; ensuite, rentrez-la doucement en dirigeant sa pointe vers le palais, sous le nez où vous l'appuyez pendant deux minutes. En yoga, cette technique s'appelle la posture de la langue.

Si la toux vous empêche de laisser votre langue sortie, tirez-la avec un mouchoir et tenez-la ainsi cinq minutes. Répétez cinq à six fois par jour, tel qu'illustré à la figure 43,A.

Vous pouvez également mordre votre lèvre inférieure et la garder ainsi cinq minutes. Cette technique soulage non seulement la toux mais enlève aussi de la douleur dans les zones frontales du corps. Illustration 43,B.

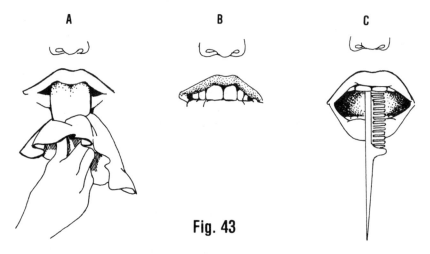

Fig. 43

Votre pression, dans la bouche, peut aussi s'exercer avec un peigne de métal ou le manche d'une cuillère. Cette pression touchera les zones frontales et centrales du corps, c'est-à-dire les zones un, deux et trois, de chaque côté. Vous exercerez la pression deux minutes au centre en mordant sur le côté des dents du peigne, puis pendant deux minutes à gauche et pendant deux minutes à droite. Voir fig. 43 C.

En plus de la toux, vous pouvez soulager des troubles d'estomac et des douleurs abdominales avec cette technique.

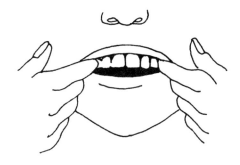

Fig. 44

Vous pouvez aussi effectuer un mouvement d'étirement des deux côtés de la bouche. La toux et l'irritation de la gorge diminueront.

De même, une pression sous le nez et au-dessus de la lèvre supérieure exécutée avec un doigt ou un instrument, freinera une quinte de toux dès le début. En pressant de cette manière, les épistaxis ou saignements de nez cesseront.

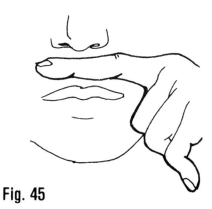

Fig. 45

laryngite et pharyngite

L'inflammation du larynx provoque souvent de l'enrouement et une perte temporaire de la voix que la réflexologie peut éliminer.

Tirez votre langue avec un mouchoir lentement mais fermement hors de la bouche et dans toutes les directions. Comédiens, chanteurs, professeurs et tous ceux qui font grand usage de leur voix devraient utiliser cette technique qui libère la congestion de la gorge et laisse sortir la voix beaucoup plus aisément.

Appliquez aussi une pression sur le pouce, l'index et le majeur de chaque main et touchez la région de la gorge à la base du gros orteil. Traitez une pharyngite de la même manière.

asthme

L'asthme est une maladie très ancienne reliée de près à l'état émotionnel d'un individu. Cette affection des bronches se caractérise par de la difficulté à respirer, de la toux et une sensation de constriction et de suffocation.

Des causes variées peuvent provoquer de l'asthme: allergies au pollen, aux poils d'animaux, à certains aliments et à la poussière, carences de vitamines, en particulier les vitamines B et C, et même l'instabilité émotionnelle.

Les personnes souffrant d'asthme doivent faire vérifier par un médecin spécialiste leurs dents, leur gorge et leur pharynx, puisque ces organes déclenchent certaines fois des crises d'asthme qui disparaîtront aussitôt qu'ils seront soignés.

Une fois de plus, c'est la bouche qui procure le meilleur champ d'action pour les massages. Les pionniers de la réflexologie ont rapporté des résultats fantastiques de traitement de l'asthme en pressant sous la langue avec un coton-tige. Pressez près du frein de la langue, sur le plancher buccal pendant environ cinq minutes. Ils firent aussi des pressions avec un abaisse-langue sur les première, deuxième et troisième zones de la langue. Le patient, de son côté, devait mordre sa langue pendant environ cinq minutes au moins quatre fois par jour.

Au niveau des pieds, vous trouverez les réflexes des poumons et des bronches sous chaque pied un peu plus bas que la base des orteils, sous les réflexes des yeux et des oreilles.

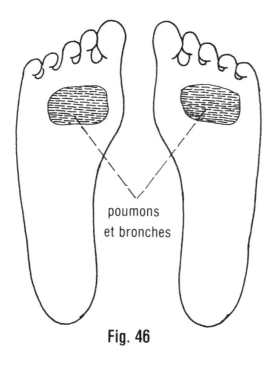

poumons
et bronches

Fig. 46

Parce que les poumons et les bronches occupent un espace volumineux dans notre poitrine, leurs réflexes couvrent une grande surface. La position idéale pour les masser est de tenir le pied droit avec la main gauche sur le genou gauche et d'utiliser les doigts de la main droite pour masser leurs réflexes. Utilisez un mouvement circulaire pour masser les réflexes pulmonaires; vous couvrirez les bronches en grande partie en massant les poumons. Comme les bronches s'enfoncent profondément dans les poumons, il s'ensuit que vous devrez presser fortement les réflexes. Une touche légère ne vous révélera pas les points sensibles. Lors d'une bronchite, massez les mêmes points réflexes.

Les réflexes des glandes surrénales s'avèrent très précieux pour éliminer l'asthme. En effet, les surrénales produisent l'adrénaline qui agit directement sur le calibre des bronches. Les émotions jouent une part importante dans la sécrétion d'adrénaline par le corps et, de ce fait, un asthmatique se doit de garder une grande stabilité émotionnelle. Il semble que les surrénales se trouvent toujours impliquées dans ce problème. (Voir figure 20).

emphysème

L'emphysème pulmonaire se caractérise par la distension permanente et excessive des alvéoles avec perte d'élasticité des poumons. Une toux chronique avec dyspnée d'effort, de la cyanose et un thorax en tonneau en sont les symptômes.

La vitamine E et la réflexologie opèrent souvent des prodiges dans le traitement de l'emphysème. Vous toucherez les zones réflexes des poumons et des bronches, telles qu'illustrées au numéro précédent.

De plus, ajoutez des exercices de respirations profondes; ils permettent d'augmenter la capacité respiratoire si importante pour tous mais en particulier pour celui qui souffre d'emphysème. Le *prana*, ou énergie vitale, se trouve dans tout, partout et est toujours à votre disposition. C'est la force vitale qui tient les astres en équilibre et les atomes de votre corps réunis. C'est l'essence de la force et de l'énergie. La respiration a pour but principal d'amener dans l'organisme ce fluide vital, ce «prana» qui se trouve dans l'eau, le soleil, la nourriture et dans l'air. Si vous le recherchez consciemment, vous l'obtiendrez en abondance.

Aussi, je vous invite à vous joindre à un groupe où vous pourrez pratiquer le yoga, ou du moins, à apprendre une bonne technique de respiration profonde.

Lorsque vos poumons se remplissent à fond, votre cage thoracique appuie sur votre diaphragme et celui-ci exerce une action sur votre système nerveux sympathique.

Notez bien que, physiologiquement, les deux nerfs pneumogastriques (nerfs modérateurs des battements du cœur) s'adossent aux deux principales bronches de l'arbre respiratoire et, de ce fait, permettent de freiner les battements cardiaques trop rapides lors de respirations profondes et complètes.

XIII
réflexologie et le système lymphatique

description du système lymphatique

La lymphe est un liquide transparent, légèrement jaune, avec une réaction alcaline. Elle vient du sang et elle retourne au sang par l'appareil lymphatique branché sur l'appareil circulatoire sanguin. La lymphe renferme du plasma sanguin et des globules blancs pour la plupart des lymphocytes qui transsudent au niveau des capillaires sanguins, pour venir baigner les cellules sous le nom de liquide interstitiel. La lymphe renferme plus d'urée et de matière protéique que le plasma.

Ce liquide interstitiel est repris par les capillaires lymphatiques qui aboutissent à des relais appelés ganglions lymphatiques. La lymphe circule dans les vaisseaux lymphatiques avec une extrême lenteur.

Les parois des vaisseaux lymphatiques sont beaucoup plus minces et perméables que celles des capillaires sanguins.

La lymphe retourne au sang des substances vitales, en particulier des protéines ; elle draine des substances toxiques vers les ganglions lymphatiques et, au niveau des vaisseaux lymphatiques abdominaux, elle permet l'absorption des gras ingérés.

Les ganglions lymphatiques filtrent les substances toxiques venant d'une inflammation ou d'une lésion maligne et ils produisent des lymphocytes qu'ils libèrent dans le sang afin de produire l'immunité. Une grande quantité de ganglions se situent au niveau du cou afin de protéger la zone des amygdales et de la gorge en cas d'infection. Une autre quantité importante de ganglions se trouve dans les aisselles et dans les aines afin de protéger les extrémités : les pieds et les mains.

Le système lymphatique s'avère donc capital pour empêcher l'invasion du sang par les bactéries qui s'y trouvent filtrées et digérées par les globules blancs. Les vaisseaux lymphatiques circulent dans tout le corps, à l'exception du cerveau et de la moelle épinière. Le système lymphatique joue également un rôle dans la prolifération des cellules cancéreuses d'un organe à un autre.

Trois organes s'associent au système lymphatique : la rate, les amygdales et le thymus.

la rate

Nous avons étudié la rate comme un réservoir important de globules rouges au chapitre de *la réflexologie et le système cardio-vasculaire*. Nous l'aborderons maintenant sous l'aspect de son importance en égard du système lymphatique. Elle représente la plus grande masse de tissu lymphatique du corps et, proportionnellement à sa grosseur, elle reçoit la plus abondante quantité de sang fourni à un organe.

Elle produit des lymphocytes et des anticorps ; de ce fait, elle joue un rôle très important dans la défense du corps contre les microorganismes du sang. Les troubles de la rate peuvent affecter profondément diverses fonctions du corps. Il faut donc la garder en bon état en pressant les bons points réflexes.

Puisque la rate se localise à gauche du corps sous le cœur, ses réflexes se trouvent sous le pied gauche, dans la quatrième zone sous les réflexes du cœur. Habituellement, un massage des réflexes du cœur couvre les réflexes de la rate.

les amygdales et les végétations

Les amygdales forment un anneau de tissu lymphatique à l'entrée du canal alimentaire et des voies respiratoires afin d'empêcher l'invasion des bactéries. Une des paires d'organes composant les amygdales s'appellent les végétations adénoïdes ; celles-ci se localisent à l'entrée du rhino-pharynx.

Les amygdales forment une barrière de protection pour la bouche, la gorge, le larynx, la trachée et les poumons. Elles aident aussi à la défense générale du corps par la production de substances nocives pour les bactéries.

le thymus

Le thymus est en définitive un organe qui participe à la défense du corps mais sa manière d'opérer se trouve bien mal connue des scientistes. Il semble fournir de nouveaux lymphocytes pour réagir contre les nouveaux antigènes. Pour une description complète, retournez au chapitre des glandes endocrines.

indications de massage du système lymphatique

amygdalite

Vous pouvez éliminer une amygdalite passagère en vous gargarisant avec une faible solution de vinaigre de cidre de pommes et de l'eau, toutes les quinzes minutes, pendant vingt-quatre heures.

L'inflammation chronique des amygdales provoque une hypertrophie de ce tissu ; celle-ci est très douloureuse.

Cette affection est causée par une intoxication générale du corps, une alimentation riche en sucres et en amidons et déficiente en fruits et légumes. Changez votre alimentation, ajoutez les vitamines A, C et D et massez les zones réflexes des amygdales. Ces réflexes se situent à la base des gros orteils, à l'endroit occupé par les zones réflexes de la gorge, puisque les amygdales se groupent dans la gorge. Massez tout le tour des gros orteils. La situation des points sensibles varie selon la partie de la gorge qui subit le plus de congestion. Appliquez deux minutes de massage, trois fois par semaine jusqu'à ce que le gonflement soit disparu.

Ne faites pas enlever vos amydgales — ou celles de vos enfants — avant d'avoir tenté la réflexologie et d'avoir adopté un bon régime alimentaire. Un célèbre réflexologue américain, qui utilise depuis vingt-trois ans cette technique avec ses patients, affirme n'avoir jamais eu un cas d'amygdalite que la réflexologie n'ait corrigé. (47)

infections

Nous sommes assaillis de tout côté par des bactéries et des virus, mais notre système lymphatique travaille sans relâche, et la plupart du temps sans que nous en prenions conscience, pour garder notre équilibre interne. Il arrive que la tâche devienne trop écrasante et que l'armée de défenseurs succombe sur certains fronts, et alors, l'infection survient.

Si vous désirez activer l'efficacité de votre système lymphatique, massez profondément autour des malléoles sur le dessus du pied et surveillez les résultats qui apparaîtront.

XIV
réflexologie et les sens

la réflexologie et la vue

Les yeux représentent des organes d'une complexité incroyable. Les globes oculaires, en forme de sphères bombées en avant, comportent des membranes qui limitent une cavité contenant des milieux transparents. Les trois membranes sont la sclérotique, la choroïde et la rétine. La sclérotique a une fonction de protection de l'œil et sert d'attache aux muscles qui bougent l'œil ; en avant, elle est transparente et s'appelle la cornée. La choroïde est une membrane vasculaire ; elle se sépare en avant pour former l'iris et la rétine qui agit en qualité de membrane nerveuse.

L'œil est la plus merveilleuse des caméras, toujours prête à photographier ; il s'ajuste automatiquement et vous donne une sensation visuelle produite entre 1/20e et 1/50e de seconde.

Le globe oculaire représente la chambre noire d'un appareil dont l'écran, ou la plaque sensible, est la couche de cellules en forme de cônes et de bâtonnets de la rétine ; l'objectif est constitué de l'ensemble des milieux transparents et le diaphragme est l'iris qui règle l'intensité de sa lumière par sa contraction ou sa dilatation.

Les nombreuses glandes annexes protectrices de l'œil nous font comprendre toute son importance. Il y a d'abord l'orbite, les sourcils qui dévient la sueur du front, les paupières qui se ferment à toutes les dix ou douze secondes (les deux yeux sont ainsi fermés une demi-heure par jour), les séreuses, appelées conjonctives, qui humectent les yeux de larmes et les cils qui tamisent la lumière et écartent les poussières. Pensez qu'une grande quantité de sensations proviennent des yeux.

Comme les yeux se composent de plusieurs parties, il est évident qu'ils sont le siège de nombreux problèmes, que la réflexologie peut atténuer ou éliminer.

affections de la vue

orgelet, conjonctivite et inflammations diverses

L'orgelet se définit comme une inflammation d'une ou de plusieurs glandes sébacées de la paupière. Elle est habituellement causée par une irritation de la paupière. Pour éliminer cette affection, travaillez les réflexes des yeux ; ceux-ci se situent sous le pied entre le second et le troisième orteils, au point d'attache de ces orteils avec le pied. Je rappelle que le pied gauche correspond aux organes situés à gauche du corps et est relié à l'œil gauche et que le pied droit correspond aux organes situés à droite du corps.

Pour atteindre la zone réflexe des yeux, mémorisez la position indiquée dans la figure 47.

Tenez l'extérieur du pied avec votre main droite ; le pouce droit touche la zone d'attache des orteils au pied, prêt à masser entre la base du deuxième et du troisième orteils, et autour de ces zones. Placez la paume de la main gauche sous la plante du pied et les autres doigts sur le pied, afin de le stabiliser.

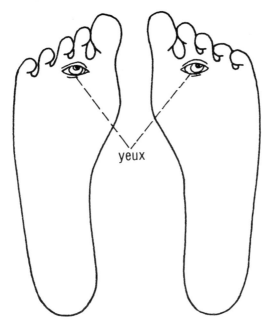

yeux

Fig. 47

De plus, vous pouvez exercer une pression sur la première jointure du deuxième et du troisième doigts de la main correspondant à l'œil impliqué. Dans un cas d'orgelet, le soulagement s'avère souvent complet après un ou deux traitements mais dans les autres conditions d'inflammation des membranes muqueuses des yeux, des traitements de cinq à dix minutes peuvent être nécessaires trois fois la semaine et ce, durant plusieurs semaines.

Pour tout problème touchant les yeux, penser également à vérifier les reins; ceux-ci affectent directement les yeux lorsque leur fonctionnement est perturbé. Voir les réflexes des reins au chapitre suivant.

La conjonctivite est l'inflammation de la conjonctive (membrane de l'œil et des paupières). Elle se corrige de la même manière que l'orgelet, de même que toute autre infection des yeux. Cependant, je veux beaucoup insister sur l'importance de vérifier l'état de la dentition puisqu'il arrive souvent qu'une inflammation chronique des yeux se trouve causée par une infection de la racine des canines.

En plus, il va sans dire qu'une personne doit éviter de s'empoisonner avec le café, le thé, l'alcool, le tabac et les aliments raffinés renfermant du sucre blanc et de la farine blanche.

fatigue visuelle

Serrez fortement la première jointure des deuxième et troisième doigts pendant cinq minutes et vous verrez la tension quitter vos yeux.

La fatigue visuelle est largement sous la dépendance du système nerveux. La réflexologie, en le détendant, amène une très agréable sensation de bien-être. Si vous êtes incrédule, essayez cette détente afin de juger par votre expérience de la valeur de ce procédé.

glaucome

Le glaucome — considéré comme sérieux puisqu'il peut conduire à la cécité — peut se guérir par la réflexologie. Le glaucome s'accompagne d'une forte accumulation de liquide qui presse les délicates membranes de l'œil, amenant le durcissement du globe oculaire.

Afin d'aider les yeux à regagner leur condition première, massez les points indiqués pour les affections de la vue. Ayez aussi recours à un médecin spécialiste.

cataractes

Avec les années, le cristallin a tendance à devenir opaque, conduisant ainsi à la cécité totale ou partielle. Cette condition porte le nom de cataracte sénile. Il arrive qu'à la naissance des bébés se trouvent porteurs de cataractes. Même certains diabétiques se voient affligés par ce problème.

Les cataractes sont souvent causées par des déficiences en vitamines A, B (spécialement B_2 et B_5), C et E, de même qu'une déficience de protéines. Je me souviens de ma grand-mère qui, à l'âge de quatre-vingts ans, après l'opération d'une cataracte, décida de prendre des vitamines A et B $_2$ pour éviter l'opération de son autre œil, prévue six mois plus tard. J'ai littéralement assisté à un miracle, puisque six mois après, le médecin spécialiste lui a déclaré : « *La seconde opération est inutile, car vous n'avez plus de cataracte.* »

Ce phénomène représente mon premier acte de reconnaissance envers la Toute Puissance Infinie pour qui l'âge et la gravité des problèmes ne comptent pas. Aujourd'hui, j'affirme avec une profonde conviction : « Il n'existe pas de problème sans solution ». Je vous invite à placer dans votre cœur l'espérance de la guérison plutôt que d'accepter de reconnaître comme vraies des sentences de maladies chroniques et incurables, puisque votre corps tente constamment d'harmoniser toutes les opérations biologiques qui s'y déroulent et que son but ultime est la santé parfaite.

Alliez une bonne nutrition à la réflexologie et il se peut que les cataractes régressent et disparaissent. Vous masserez la zone des yeux, de la même manière que vous le feriez pour les autres problèmes visuels. Appliquez les massages trois fois la semaine pendant plusieurs mois sur les points réflexes des yeux.

problèmes divers des yeux

La difficulté de s'accommoder à la lumière la nuit s'associe souvent à une carence de vitamine A (nécessaire pour nourrir les cellules en bâtonnets teintées de rose par un pigment, le pourpre rétinien). L'iris, le cercle coloré de l'œil qui se contracte et se dilate pour laisser entrer la quantité idéale de lumière, est également lié à ce problème de vision nocturne de même que l'usage de la cigarette.

Cherchez-en la cause et appliquez le massage réflexe tel que recommandé dans les numéros précédents, trois fois la semaine, pendant dix-minutes et, en peu de temps, vous noterez un grand changement.

Les yeux se trouvent certaines fois injectés de rouge. Habituellement, c'est un excès d'alcool ou une carence de vitamines (surtout les B) qui causent ce problème. Les carottes, la levure de bière, le foie, les graines de tournesol et le germe de blé sont très bons pour les yeux, étant donné leur forte teneur en vitamines A et B. Équilibrez votre alimentation et massez les réflexes des yeux.

Si les muscles de vos yeux sont faibles, massez-en les zones réflexes situées sous les pieds et sur les mains, afin de leur donner de l'énergie et voyez un spécialiste des yeux qui vous recommandera des exercices indispensables pour corriger ce problème.

la réflexologie et l'ouïe

L'oreille est un organe complexe et très important dans la perception des sons. L'oreille se divise en trois parties principales. D'abord, l'oreille externe qui renferme le pavillon et le conduit auditif externe ; cette partie joue un rôle de transmission. La deuxième zone est l'oreille moyenne qui renferme la trompe d'Eustache et la caisse du tympan ; cette caisse contient trois petits osselets : le marteau, l'enclume et l'étrier. Cette zone joue également un rôle de transmission et permet d'équilibrer la pression externe de l'atmosphère avec la pression interne grâce à la trompe d'Eustache. La troisième zone qui se nomme l'oreille interne renferme un labyrinthe osseux contenant un sac membraneux (labyrinthe membraneux rempli d'un liquide appelé endolymphe). Cette dernière zone de l'oreille joue un rôle d'impression des sons et d'équilibre corporel.

L'oreille humaine a une gamme de perceptions s'étalant de seize à seize mille périodes environ, soit à peu près sur dix à onze octaves. Observez que l'oreille du non-musicien saute directement de deux mille à quatre mille périodes. De même, notre perception des couleurs passe très vite sur les verts pour aller de la multiplicité des jaunes à la grande diversité des bleus. De fait, il existe une correspondance, presque point par point, entre la distribution des fréquences sonores et celle des couleurs du prisme.

Monsieur Alfred **TOMATIS**, spécialiste de réputation mondiale des problèmes de l'audition, affirme que les sons et les couleurs se situent à certains niveaux corporels où ils se superposent, un son appelant une couleur et vice-versa. Ces niveaux corporels sont des «chakras», c'est-à-dire des portes d'entrée de l'énergie cosmique distribuée dans la personne humaine. (48)

Voyons ensemble un tableau des correspondances entre les sons et les couleurs, tel que proposé par Monsieur **TOMATIS**.

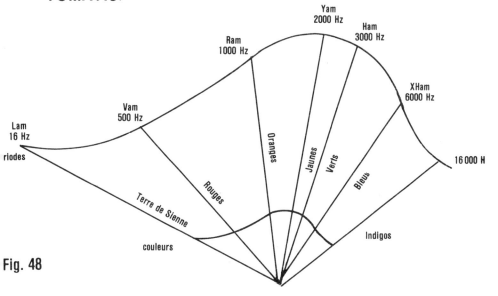

Fig. 48

Monsieur **TOMATIS** utilise la représentation sonore des chakras, telle que les yogis indiens l'enseignent; cela consiste à prononcer des syllabes en « *am* » rendues plus ou moins sonores par une ou plusieurs consonnes initiales: Lam, Vam, Ram, Yam, Ham (qui est le célèbre *Aum* représentant le son de l'univers qui vibre), Xham, la série se complétant par une syllabe imprononçable qui est — ou n'est pas — donnée à l'individu en quête de communion avec l'Infini.

Fait très important: les sept chakras majeurs sont reliés aux sept glandes endocrines. Le massage réflexe, étant une des rares techniques qui nous donnent accès à notre système endocrinien pour le stimuler ou le calmer, nous permet d'agir sur ce que l'ésotérisme appelle l'aura.

Votre oreille a une importance primordiale sur le plan de la charge corticale ; autrement dit, votre appareil auditif fait fonction de dynamo. Il fournit du courant pour alimenter le cerveau. Les sons graves agissent sur le corps sans lui fournir de charge, tandis que les sons aigus activent le cortex pour lui permettre de penser.

C'est ainsi qu'un cerveau très riche en potentiel *neuronique* utilisera mieux ses fonctions *réflexives*, amplifiera sa créativité et allumera son activité essentielle induite par la dynamique de sa pensée. De fait, monsieur **TOMATIS** affirme que la fonction première de l'oreille est d'assurer la charge corticale en potentiel nerveux et que la fonction d'audition est seconde, largement seconde.

affections des oreilles

surdité

Le plus tragique problème auditif est sans contredit la surdité. Elle peut être causée par une dent de sagesse, (il est toujours très important de vérifier l'état des dents de sagesse dans tous les problèmes d'audition), de la catarrhe, de l'otosclérose (durcissement des membranes de l'oreille interne) et par de la cire durcie à l'intérieur des oreilles.

Si de la cire durcie ou si une dent de sagesse en mauvais état provoque la surdité, consultez un spécialiste. Pour tout autre cas de surdité, utilisez la réflexologie. Plusieurs zones réflexes des oreilles peuvent s'avérer importantes. Une zone réflexe très précieuse se situe sous le pied entre les troisième et quatrième orteils et entre les quatrième et cinquième orteils.

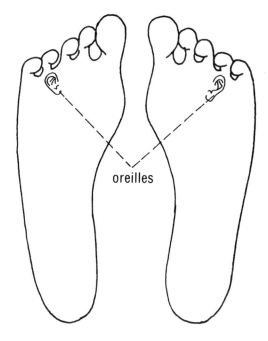

oreilles

Fig. 49

Tenez le pied dans la même position que pour le massage des yeux et n'oubliez pas que le pied gauche correspond à l'oreille gauche et le pied droit à l'oreille droite.

Une autre bonne technique consiste à presser les jointures des troisième, quatrième et cinquième doigts ou de mettre une épingle à linge pendant dix minutes sur l'annulaire.

Certains cas de surdité furent guéris en pressant les dents d'un peigne contre le bout des doigts pendant cinq minutes, suivi d'une pression avec le pouce contre le palais pendant cinq minutes et sous la langue pendant cinq minutes. Voir fig. 50.

Une autre technique fortement recommandée par les pionniers de la réflexologie consiste à placer un tampon dans l'espace entre la dernière dent et la mâchoire supérieure et de le mordre très fort. Répétez deux ou trois fois par jour, pendant cinq minutes à chaque fois. Un petit morceau de caoutchouc ou de gomme à effacer convient très bien comme tampon.

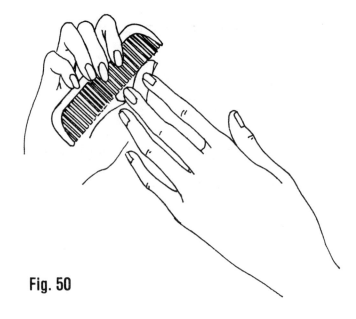

Fig. 50

Une autre zone réflexe intéressante se localise dans la langue. Sortez votre langue d'un demi-pouce et mordez-la fermement pendant dix minutes. Recommencez deux ou trois fois par jour lors d'un problème aigu et trois fois la semaine en d'autres temps.

mal d'oreilles

Les adultes et les enfants peuvent éliminer la douleur causée par un mal d'oreilles en pressant les zones réflexes des oreilles sous le pied tel que mentionné au numéro précédent. Certaines fois, il s'avère utile de placer une épingle à linge sur l'annulaire, de même que de tirer en bas et vers l'avant le lobe de l'oreille.

bourdonnement d'oreilles

Le bourdonnement d'oreilles peut être causé par de l'accumulation de cire, par une perforation de la membrane du tympan, par du liquide dans l'oreille moyenne ou par des dents de sagesse en mauvais état.

Notez que la zone réflexe des dents se situe dans la même zone réflexe que les oreilles.

la réflexologie et l'odorat

La zone olfactive se situe à la partie supérieure des fosses nasales, la partie inférieure étant réservée à la respiration. La partie olfactive est jaunâtre et formée de cellules glandulaires secrétant du mucus et de cellules nerveuses appelées cellules olfactives.

On perçoit une odeur lorsqu'un élément est gazeux ou soluble dans le mucus nasal et qu'il est entraîné vers la zone olfactive par un courant d'air d'une intensité suffisante (d'où le geste de humer) et que la muqueuse nasale s'avère ni trop sèche ni trop humide.

Le rôle de l'odorat consiste à rechercher et à choisir les aliments et à stimuler les sécrétions digestives en agissant sur le psychisme.

L'identification par le nez s'effectue au niveau moléculaire ; l'odeur propre de la molécule semble venir de sa correspondance entre sa forme et la configuration de la zone cellulaire qui la reçoit. La concentration moléculaire nécessaire pour être perçue se révèle extrêmement faible : les substances les plus odorantes, diluées environ un milliard de fois se détectent encore par notre nez. Le chien peut se contenter d'une dilution un million de fois supérieure à la dilution perçue par l'homme, soit 10^{15} plutôt que 10^9. (49)

C'est impressionnant, n'est-ce pas, tous ces nombres qui viennent rappeler à notre intelligence la merveilleuse réalité de la personne humaine ! J'en ai utilisé beaucoup tout au long du volume car les Nombres ont pris une place très importante dans ma compréhension de l'univers. **PYTHAGORE**, philosophe et mathématicien grec, cinq siècles avant **JÉSUS-CHRIST**, affirmait que les éléments des nombres sont les éléments des choses. Il a dit : «*Le Nombre est le cordon ombilical entre la Connaissance et la Réalisation. Le Nombre constitue le chaînon liant le Verbe, qui est l'Intelligence en mouvement, à la Manifestation, qui la reflète. Le Verbe est vibration, rythme, fréquence et, dès lors, qui dit vibration, dit rythme et fréquence et dit Nombre.*»

La perte de l'odorat vient souvent d'un mauvais apport d'énergie nerveuse aux cellules olfactives du nez, d'une carence de zinc, de la cigarette, du rhume et des allergies. Essayez d'en trouver la cause véritable et massez la région réflexe du nez, telle qu'illustrée dans les figures 13 et 14.

la réflexologie et le goût

La langue est une masse musculaire fixée au plancher de la bouche et recouverte d'une muqueuse portant des papilles. La langue joue un rôle de gustation et de phonation. La langue discerne quatre saveurs principales: le sucré, le salé, l'acide et l'amer, grâce à ses papilles fongiformes, filiformes, caliciformes et corolliformes. La sensibilité gustative vient de tout corps sapide soluble dans la salive qui s'y trouve en concentration suffisante.

La langue indique votre état de santé; la langue normale apparaît rosée, propre, modérée en volume et sans indentation tout le tour, montrant que les dents se sont appuyées dessus. Les papilles gustatives doivent apparaître uniformes et couvrir toute la surface du dessus ainsi que les côtés.

Si votre langue est décolorée, couverte de débris, sèche et craquelée, votre corps subit des dérèglements. Adelle **DAVIS**, la célèbre nutritioniste américaine, affirme, dans un de ses livres, que lorsque les vitamines B sont déficientes, la langue montre les premiers changements à se produire dans l'organisme. (50)

Elle associe même chaque vitamine B à une couleur particulière ou à une forme précise de la langue. Sans vous donner la peine de préciser quelle carence particulière vous avez, misez sur l'ensemble des vitamines du groupe B, en introduisant du germe de blé, de la levure de bière ou du foie dans votre alimentation régulière.

N'attendez pas qu'une carence sévère se manifeste par

une langue géographique, c'est-à-dire une langue si craquelée qu'elle suggère le relief d'une région.

Les saveurs fortes émoussent le goût, de même que l'alcool et la carence de zinc. L'odorat et le goût sont liés très intimement; c'est ainsi qu'un rhume ou qu'une allergie agissent tout autant sur le goût que sur l'odorat.

Fait surprenant: certaines plantes reconnues pour leur goût délicieux, telle que la menthe, n'ont pas de goût du tout mais en donnent l'impression à cause de leur odeur.

Vérifiez la cause véritable de la diminution de la perception des saveurs et si ce problème découle avant tout d'une insuffisance d'énergie fournie au nerf de la langue, utilisez la réflexologie. Massez sur les gros orteils, la zone réflexe du cou et de la gorge et vous toucherez la région de la langue du même coup.

la réflexologie et le toucher

La peau représente un organe souple, élastique et imperméable. Son épaisseur varie selon les régions du corps; épaisse aux extrémités (paume des mains, plantes des pieds, crâne), elle devient mince aux poignets, aux chevilles et aux plis de flexion. La peau passe de 0,5 mm d'épaisseur aux paupières à 3 mm aux talons. Elle se colore diversement selon la qualité du sang qui circule dans ses régions profondes et selon la quantité de pigments qu'elle renferme. Sa surface est plus ou moins grasse afin de l'imperméabiliser et de lui maintenir sa souplesse.

La peau comporte deux parties: l'épiderme et le derme qui remplissent de multiples fonctions.

• l'épiderme

Il se situe en surface; il n'a aucun vaisseau et il se subdivise en trois couches: une couche profonde vivante, chargée de combler l'usure et de réparer les blessures; une couche superficielle morte appelée *couche cornée*, qui assure l'imperméabilité; une couche basale qui contient des pigments colorant la peau.

● **le derme**

Il comporte une couche supérieure mince très riche en vaisseaux, une couche moyenne représentant les 4/5 du derme et qui renferme beaucoup de cellules conjonctives (le cuir est tiré de cette partie), et une couche inférieure remplie de cellules adipeuses.

● **fonctions de la peau**

La peau protège le corps contre les agents mécaniques (chocs), les frottements, la pénétration des microbes, la chaleur et le froid. Elle sécrète la sueur qui peut se comparer à de l'urine diluée; on peut se permettre de l'appeler un troisième rein car elle produit environ un litre de sueur par jour afin d'opérer la régularisation thermique, d'éliminer les substances nuisibles de l'organisme et de s'humidifier.

Elle joue aussi un rôle absorbant vis-à-vis les rayons ultraviolets du soleil qui pigmentent la peau et transforment le cholestérol en vitamine D. Elle a évidemment un rôle sensoriel qui amène des réactions tactiles, thermiques et douloureuses.

La peau se révèle acide sur sa surface lisse mais alcaline dans les plis (aisselles, aines, scrotum, intervalles entre les orteils).

les annexes de la peau

Les annexes de la peau jouent un rôle important. On y trouve

— **les glandes sudoripares** qui produisent la sueur; le corps en possède deux à trois millions, particulièrement abondantes aux mains, aux pieds, aux aisselles et au front.

— **les glandes sébacées** qui se situent au niveau de l'épiderme et qui sont annexées aux poils afin de sécréter le sébum chargé d'imperméabiliser la peau.

— **les glandes mammaires** qui se situent au niveau de l'épiderme et qui sécrètent du lait; ces glandes caractérisent la grande famille des mammifères.

— **les poils** qui représentent des productions cornées épidermiques; chaque poil possède une racine renflée en bulbe, implantée dans la peau et excavée pour loger une papille dermique. Chaque poil s'allonge par la racine.

Un indice important de la vitalité d'un individu se trouve dans sa pilosité. Les hommes les plus velus s'avèrent presque toujours les plus vigoureux. Dans l'espèce animale, la crinière du lion, le plumage plus abondant et plus coloré des coqs et d'un grand nombre d'oiseaux mâles apportent une confirmation à la signification d'exubérance vitale et de vigueur donnée par le fort développement des poils et des plumes. Chez l'homme, le crâne, les sourcils et les jambes sont les premières zones atteintes par la dépilation. Parmi ces trois régions, c'est surtout la pilosité des mollets qui permet d'apprécier le développement, la conservation ou la déperdition des forces vitales individuelles. Si vous voyez une zone dégarnie de poils sur le mollet à l'arrière de la jambe, méfiez-vous et retournez vers l'observation des lois naturelles de santé.

— **Les ongles** qui sont des productions cornées, comparables à d'énormes poils aplatis, s'allongeant par leur racine et s'usant par leur extrémité libre. Notez que la lunule (tache blanche ovale visible à la racine de l'ongle) représente un signe de vitalité des individus.

Paul **CARTON**, médecin français, fut un des premiers médecins à considérer que les lunules symbolisent le revenu disponible en énergie d'un individu. Surveillez le nombre et la grosseur des lunules des gens et vous pourrez évaluer rapidement et efficacement leurs réserves énergétiques.

Les sujets à dix lunules hautes se trouvent dans un état de véritable fureur vitale, de bouillonnement, d'énergie intensive. Au contraire, une seule lunule sur les pouces indique de petites disponibilités vitales, une grande fatigabilité et un besoin d'économies vitales méthodiques. (51)

Les hommes possèdent en général de six à huit lunules tandis que les femmes en laissent voir de quatre à six.

Je me dois de mentionner ici que la présence de l'appendice xiphoïde (extrémité pointue située en bas du sternum dans votre cage thoracique) est un autre indice important du capital de force vitale personnelle reçu en dot à la naissance. Il semble que soixante-quinze pour cent des hommes et vingt-cinq pour cent des femmes, à l'âge adulte, affichent un fort appendice xiphoïde, symbole d'un potentiel héréditaire très puissant.

Ma pratique en naturopathie et réflexologie me permet de vous affirmer que les trois critères mentionnés ci-dessus (pilosité des mollets, lunules des ongles et appendice xiphoïde) représentent vraiment des indices importants de la vitalité individuelle.

— **Les vaisseaux nourriciers** de la peau qui sont des artères cheminant dans l'hypoderme.

— **Les terminaisons nerveuses** qui constituent le moyen de communication entre le système nerveux et l'extérieur du corps. Ces terminaisons portent le nom de Pacini, Krause, Ruffini et Meissner.

Il va sans dire que l'hygiène de la peau joue un rôle bien important dans sa santé. Je vous invite fortement à vous délecter de bains chauds, dans lesquels vous ajoutez des infusions de foin, d'algues marines, de feuilles de noyer, etc. Parfumez l'eau d'huiles essentielles (pin, sapin, lavande, etc.). En plus de la détente que cette bonne habitude procure, l'aromathérapie a aussi des propriétés thérapeutiques : elle utilise les huiles essentielles pour remédier à différents problèmes de santé.

Utilisez les masques à l'argile, surveillez votre nutrition, pratiquez des exercices physiques et massez les réflexes de votre peau.

Une peau en santé est largement tributaire du bon fonctionnement du système endocrinien ; vous masserez donc en premier lieu les réflexes des glandes endocrines. (Voir le chapitre des glandes endocrines). Massez également les organes d'élimination : foie, reins et intestins, puisque ceux-ci repoussent vers la peau l'excès de déchets et celle-ci les extériorise par une ribambelle de problèmes (acné, points noirs, furoncles, abcès, prurit, etc.).

Vous pouvez brosser votre peau avec un gant de crin, ce qui massera automatiquement vos points réflexes. Vous pouvez aussi peigner votre peau, c'est-à-dire y passer un peigne afin de vous détendre. Le dos de la main et l'avant-bras représentent des zones de choix pour l'utilisation de cette technique.

Les cheveux ont une structure similaire à la première couche de la peau et ils constituent un baromètre de la santé. Si vous avez des carences nutritives, souvent votre cheveu le manifestera en premier. Les cheveux et les ongles sont branchés sur le courant d'énergie vitale tout comme le reste de votre corps et, à ce titre, je vous donne un truc utilisé par un des pionniers en réflexologie, le docteur Joe **SHELBY**, pour arrêter la chute des cheveux.

«Frottez les ongles d'une main directement sur les ongles de l'autre main, avec un mouvement rapide pendant cinq minutes au moins, trois fois par jour.» La chute des cheveux ne s'arrêtera pas instantanément mais persévérez et après quelques semaines de pratique,

vous noterez que leur chute a diminué pour s'arrêter complètement dans les semaines suivantes. Si vous désirez retarder l'échéance de l'apparition des cheveux blancs, procédez de la même manière, en frottant pendant cinq minutes le matin et cinq minutes le soir. Donnez une chance à la Nature en activant le flot d'énergie vitale qui se rend au cuir chevelu et vous en retirerez de grands bénéfices.

XV
réflexologie et l'appareil urinaire

Les vivants se procurent la nourriture et l'oxygène, mais il faut, sous peine de mort, rejeter les déchets produits par les cellules. L'excrétion de ces déchets est assurée par les reins et les voies urinaires, les glandes cutanées, le foie qui sécrète la bile, les poumons qui éliminent le gaz carbonique et la vapeur d'eau, de même que par les intestins qui évacuent les selles régulièrement.

Voyons ensemble comment assurer le bon fonctionnement de l'appareil urinaire puisque les autres voies d'élimination ont déjà été traitées.

description de l'appareil urinaire

les reins

Les reins affichent la forme d'un haricot de couleur brun rouge. Ils pèsent cent vingt à cent vingt-quatre grammes en moyenne. Ils se situent de chaque côté de la colonne lombaire, à la partie supérieure et postérieure de la cavité abdominale.

Chaque rein comprend d'abord une capsule fibreuse, fine qui recouvre le rein, puis une substance corticale ou périphérique, jaune rougeâtre, granuleuse qui contient les glomérules de Malpighi. (Les glomérules sont des pelotons vasculaires très fins, ayant chacun une artère d'arrivée du sang et un vaisseau pour la sortie du sang). Les glomérules s'entourent d'une capsule en forme de sac, appelée capsules de Bowman, qui recueillent l'urine par filtration du glomérule. Les glomérules sont liés à des tubules longs et grêles ; ces structures microscopiques (glomérules — tubules) s'appellent néphrons. Chaque rein se compose d'environ deux millions de néphrons.

Finalement, le rein possède une zone médullaire composée des pyramides de Malpighi et de Ferrein. Les pyramides de Malpighi sont les tubes urinifères ; il en existe de huit à dix par rein. Les pyramides de Ferrein, plus petites, s'ajoutent aux précédentes. Cette zone a une couleur rouge foncé tandis que le reste du tissu rénal est plus pâle.

Les reins jouent un rôle très important dans votre bien-être physique. D'abord, ils filtrent l'eau et les sels minéraux en excès dans le sang pour rétablir la concentration sanguine ; chez l'homme, cette filtration fait passer une quantité d'eau égale à toute l'eau de la masse entière du plasma sanguin (2 à 3 litres) dans les tubules en vingt ou trente minutes. Cette même filtration fait retourner cent pour cent du glucose et quatre-vingt-dix-neuf pour cent de l'eau dans le sang. Quelles merveilles que vos reins, n'est-ce pas !

Ensuite, ils veillent à ce que les déchets toxiques ne dépassent pas une certaine limite dans le sang. Ces déchets, en particulier l'urée, sont contrôlés par vos reins. Les reins ne laissent pas filtrer l'albumine et le glucose ; au-dessus d'un certain seuil, l'albumine ou le glucose passe et c'est l'albuminurie ou le diabète qui se manifeste.

Vos reins contribuent au maintien du pH du sang à 7,35 environ et gardent ainsi l'équilibre acido-basique de votre sang. Ce fait est d'une importance capitale puisque lorsque ce délicat équilibre est rompu, les tubules rénaux produisent des enzymes pour faire la synthèse de l'ammoniaque afin que celle-ci se substitue dans les sels de la préurine aux ions alcalins, qui réabsorbés, regagnent le sang et normalisent le pH.

L'urine excrétée par le corps a un volume quotidien de 1,500 cm^3 et son pH est acide. La composition de l'urine repose sur deux facteurs: le fonctionnement plus ou moins parfait des reins et la composition du sang.

les uretères

Ces canalisations s'étendent des bassinets à la vessie. Longs de vingt-cinq centimètres, les uretères ont des mouvements péristaltiques qui font progresser l'urine même si un sujet a la tête en bas.

la vessie

Ce réservoir musculo-membraneux recueille l'urine et l'évacue. Pleine, elle a la forme d'un ballon, et vide elle apparaît repliée sur elle-même. Elle possède une capacité de cent cinquante à trois cents cc pouvant aller jusqu'à mille cc.

l'urètre

Ce canal musculo-membraneux sert à évacuer la vessie. Il débute au col de la vessie et se termine par le méat urinaire.

indications de massage de l'appareil urinaire

énurésie (mouillage du lit)

L'énurésie est le mouillage involontaire du lit pendant le sommeil, chez les enfants de plus de trois ans. Différentes causes peuvent produire ce phénomène: irritation de la vessie et de l'urètre, déséquilibre émotionnel, épuisement physique et mauvaise diète.

La réflexologie concentrée sur le bas de la colonne vertébrale où se situe le réflexe de la vessie, dix minutes trois fois la semaine, vous permettra de rétablir le réflexe normal afin d'éliminer ce problème. Bien entendu, vous devrez en soigner la cause première.

Voici les réflexes du système urinaire. Massez-les et voyez aussi ceux du système endocrinien.

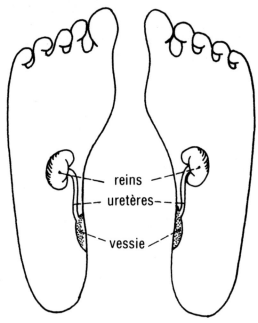

reins

uretères

vessie

Fig. 51

insuffisance rénale

Très souvent, les gens affectés par une insuffisance rénale consomment beaucoup trop d'amidons et de sucres concentrés et ils boivent peu d'eau. Tous les jours, prenez, au minimum un verre d'eau au lever, un verre d'eau entre les repas et jetez à la poubelle le sucre blanc raffiné. À ce moment, vous aurez fait un pas de géant vers la santé parfaite.

Puis, massez la zone réflexe des reins, telle qu'illustrée dans la figure 51. Attention, cependant, la zone réflexe des reins et celle du foie doivent être massées seulement quelques minutes pendant les premières semaines afin d'éviter de déloger trop de déchets et de congestionner ces deux organes intimement liés à l'élimination. Massez pendant une ou deux minutes au début et augmenter progressivement la période de massage à cinq minutes environ.

Souvent, les réflexes des reins sur un pied s'avèrent très sensibles tandis que ceux de l'autre rein sur le pied opposé, le sont très peu. Occupez-vous d'abord du rein qui est le plus congestionné. Ne vous inquiétez pas si, au début, le massage des réflexes des reins les rend hyperactifs en provoquant une miction fréquente ou si leur rendement est insuffisant. Ce traitement aura tôt fait d'en normaliser le fonctionnement.

L'action des reins se trouve souvent influencée par la colère et la peur; aussi, vous devez apprendre à relaxer et à vérifier l'état de votre plexus solaire.

Notez que des reins en mauvais état affectent d'autres régions du corps. En cas de faiblesses ou de d'autres troubles des yeux, n'oubliez jamais les réflexes des reins puisque les reins et les yeux, situés dans la même zone réflexe, s'influencent beaucoup.

œdème et congestion

Lorsqu'il y a rétention d'eau dans les tissus, pensez à masser les réflexes de vos reins de même que les réflexes des glandes endocrines. De plus, buvez suffisamment d'eau et la congestion, qui cause des maux de dos, des gaz et des crampes, disparaîtra et vos tissus reprendront leur élasticité première.

affections de la vessie

Les ennuyeux problèmes de la vessie peuvent s'atténuer par le massage des réflexes situés dans la zone un, puisque la vessie se localise en plein centre du corps. Des épingles à linge placées sur les extrémités des trois premiers doigts couvriront les réflexes des reins et de la vessie. Vous pouvez aussi utiliser l'abaisse-langue pour stimuler les réflexes vésicaux en touchant la zone centrale de la langue pendant cinq minutes, trois fois la semaine. Rappelez-vous qu'il ne faut jamais utiliser l'abaisse-langue lors d'une grossesse, cela pourrait provoquer un avortement.

Conclusion

dix minutes de prévention par jour

Une circulation parfaite représente la clé de la santé. Le sang, la lymphe et l'énergie vitale doivent circuler sans entrave afin d'apporter à vos cellules tous les éléments qui leur sont nécessaires.

Vous devez obligatoirement surveiller votre alimentation et pratiquer certaines formes d'exercices physiques ; à ce propos, une longue marche rapide, exécutée quotidiennement, est l'exercïce le plus profitable à bien des points de vue. De préférence, ne rien porter dans vos mains et l'été, si possible, marcher pieds nus afin de toucher les zones réflexes des pieds.

En plus de ces pratiques, prenez l'habitude de consacrer cinq minutes au réveil et cinq minutes au coucher à masser tous les réflexes importants mentionnés dans ce livre, en apportant une attention particulière aux points douloureux.

Commencez par le massage de vos mains, en portant une attention spéciale aux doigts, puis des bras suivis de la tête, du thorax, des pieds (surtout les orteils), des jambes, du bassin, pour terminer par la zone intestinale. Vérifiez particulièrement les articulations, car celles-ci ont des chakras importants, des antennes réceptrices d'énergie de même que des relais souvent court-circuités. Voir fig. 52.

Le circuit illustré ici (mains, tête, thorax, pieds, bassin, zone intestinale) convient très bien comme mesure préventive pour chaque personne. Le matin au lever ou le soir au coucher, massez rapidement l'ensemble de votre corps dans l'ordre mentionné, en pressant quelques secondes les points réflexes et en glissant vos doigts le long des méridiens. Si vous hésitez en ce qui concerne la direction de votre massage, retournez à la figure 3.

Mais je vous incite fortement à individualiser votre réflexologie. Lors de votre massage général, vos doigts toucheront certains points douloureux. Ceux-ci représentent les contacts énergétiques en difficulté dans votre corps. Accordez une attention très particulière à ces points en les massant plus longuement et surveillez leur retour à la normale. Ils sont votre baromètre corporel.

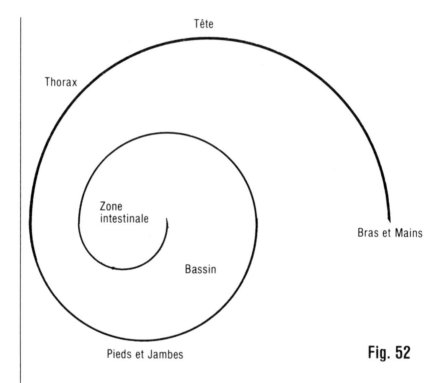

Fig. 52

Je termine ce livre en souhaitant que votre santé s'améliore de jour en jour par le massage des poins réflexes qui jalonnent tout votre corps, et que vous atteigniez un état de bien-être tel que prévu dans le plan du Créateur.

Bonne santé et bons massages!

Références
bibliographiques

1. Ostrander, Sheila et Schroeder, Lynn — *Psychic Discoveries Behind The Iron Curtain*, page 227.
2. Beau, Georges — *La médecine chinoise*, page 32.
3. *Idem, ibid.*, page 33.
4. Michaud, Jacques — *Pour une médecine différente*, page 338.
5. *Idem, ibid.*, page 214.
6. Désiré, Charles, Marchal, Guy et Bélanger, Yvon — *Biologie humaine*, page 118.
7. Dr Borsarello, J. — *L'acupuncture et l'Occident*, page 96.
8. Melzack, Ronald — Comment l'acupuncture permet de supprimer la douleur, *Revue Diogène*, page 73.
9. Les endorphines contre les troubles mentaux, *Sciences et Vie* — janvier 1978.
10. *Prévention* — avril 1977, page 148.
11. Bean, Roy E. — *Helping Your Health With Pointed Pressure Therapy*, page 21.
12. Dr Borsarello, J. — *L'acupuncture et l'Occident*, page 24.
13. Morales, Betty Lee — *Acupuncture And How It Works*, May 1978, *Let's Live.*
14. Carter, Mildred — *Hand Reflexology: Key To Perfect Health*, page 69.
15. Christophe, Odile — *L'auriculothérapie.*
16. Ohashi, Wataru — *Le livre de Shiatsu*, page 125.
17. *Idem, ibid.*, page 124.
18. Jensen, Bernard — *Science and Practice Of Iridology*, page 1.
19. Lefebure, Francis — *Le mixage phosphénique en pédagogie*, page 28.
20. Neuville, Pierre — *Pour vous guérir*, page 208.
21. FitzGerald, Wm. H., M.D., — *Zone Therapy*, page 88.
22. Editorial Committee Of Science Of Life Books — *Glands And Your Health*, page 23.
23. Lacey, Louise — *Lunaception*, page 96.
24. Carter, Mildred — *Helping Yourself With Foot Reflexology*, page 143.
25. *Idem, ibid.*, — page 145.
26. Selye, Hans — *Stress sans détresse*, page 41.

27. Editorial Committee of Science Of Life Books — **Glands and Your Health**, page 52.
28. Selye, Hans — **Stress sans détresse**, page 40.
29. Frederick, Carlton — **Psycho-nutrition**, page 68.
30. Hauser, Gayelord — **Vivez jeune, vivez longtemps** — page 19.
31. Sergerie, Adela T. **De la cellule à la morpho-psychologie humaine**, page 84.
32. **Le Courrier,** voyage à travers le cerveau — janvier 1976.
33. Editorial Committee Of Science Of Life Books — **Glands And Your Health**, page 62.
34. Michele, Arthur A., M.D. — **Orthotherapy**, page 173.
35. De Langre, Jacques — **Second Book Of Do-In**, page 43.
36. Rubinstein, Hilary — **Insomniacs Of The World, Goodnight**, page 24.
37. Idem, ibid., page 45.
38. Namikoshi, Tokujiro — **Shiatsu**, page 12.
39. Carter, Mildred — **Helping Yourself With Foot Reflexology**, page 134.
40. Loughran, John Y. — **Ninety Days To A Better Heart**, page 89.
41. Idem, ibid., page 82.
42. Bertherat, Thérèse — **Le corps a ses raisons.**
43. Colimore, Benjamin, M.A. et Colimore, Sarah Stewart, L.P.T. — **Nutrition and Your Body**, page 31.
44. Slaughter, F.G. — **Votre corps et votre esprit**, page 62.
45. Houston, F.M. — **The Healing Benefits of Acupressure**, page 59.
46. De Langre, Jacques — **Second Book of Do-In**, page 53.
47. Bean, Roy E., N.D. — **Helping Your Health With Pointed Pressure Therapy**, page 125.
48. Tomatis, Alfred — Des sons et des couleurs, **Revue Le Son,** 1978.
49. Désiré, Marchal et Bélanger — **Biologie Humaine**, page 137.
50. Davis, Adelle — **Let's Eat Right to Keep Fit**, page 65 - page 66.
51. Carton, Paul — **L'art médical**, page 144.

Bibliographie

1. Bean, Roy E., *Helping your Health with Pointed Pressure Therapy* — Parker Publishing Co., West Nyack, N.Y., 1975.
2. Beau, Georges, *La médecine chinoise* — Éditions du Seuil, 1965.
3. Bertherat, Thérèse, *Le corps a ses raisons* — Éditions du Seuil, 1976.
4. Dr Borsarello, J., *L'acupuncture et l'occident* — Fayard, 1974.
5. Carter, Mildred, *Hand Reflexology* — Parker Publishing Company, Inc., West Nyack, New York, 1976.
6. Carter, Mildred, *Helping Yourself with Foot Reflexology* — Parker Publishing Company, Ind., West Nyack, N.Y., 1969.
7. Carton, Paul, *L'art médical* — Librairie Le François, 91, boulevard Saint-Germain, Paris (VIe), 1973.
8. Davis, Adelle, *Let's Eat Right to Keep Fit* — Signet book from New American Library, 1301, Avenue of the Americas, New York, N.Y. 10019.
9. De Langre, Jacques, *Second Book of Do-In*, Happiness Press, 160, Wycliff Way, Magalia, California 95954, 1974.
10. Désiré Charles, Marchal Guy et Bélanger Yvon, *Biologie Humaine*, Centre éducatif et culturel inc., 8101 boul. Métropolitain, Anjou, Montréal, 1968.
11. Editorial Committee of Science of Life Books, *Glands and your Health*, 4-12 Tattersall Lane, Melbourne, Victoria 3000, 1975.
12. Frederick Carlton, *Psycho-Nutrition*, Grosset and Dunlap, New York, 1976.
13. Hauser, Gayelord, *Vivez jeune, vivez longtemps* — Éditions Buchet/Chastel, Paris, 1950.
14. Houston, F.M., *The Healing Benefits of Acupressure* — Keats Publishing, Inc., New Canaan, Connecticut, 1958.

15. Jensen, Bernard, *Science and Practice of Iridology*, Jensen's Nutritional and Health Products, Inc., P.O. Box J, Escondido, California 92025, 1964.

16. Lacey, Louise, *Lunaception* — Warner Books, P.O. Box 690, New York, N.Y. 10019.

17. Laughran, John X., *Ninety Days to a Better Heart*, Arc Books, 219, Park Avenue, New York, N.Y. 10003, 1968.

18. Lefebure, Françis, *Le mixage phosphénique en pédagogie*, Imprimerie Gagné Ltd., St-Justin, Montréal 1978.

19. Michaud, Jacques, *Pour une médecine différente*, Éditions J'ai lu, Ed. Denoël, 1971.

20. Michele, Arthur A., M.D., *Orthotherapy* — M. Evans and Company, Inc., New York, 1971.

21. Namikoshi, Tokyjiro, *Shiatsu* — Éditions Japan Publications Inc., 1969.

22. Ohashi, Watary, *Le livre du Shiatsu*, Éditions L'Étincelle, 1977.

23. Ostrander Sheila et Schroeder Lynn, *Psychic Discoveries Behind the Iron Curtain*, Bantam Book, 666 Fifth Ave., New York, N.Y. 10019, 1970.

24. *Prévention*, revue mensuelle publiée par: Rodale Press Inc., 33, East Minor St., Emmaüs, Pa 18049.

25. Rubinstein, Hilary, *Insomniacs of the World, Goodnight* — Random House Inc., New York 1974.

26. Slaughter, F.G., *Votre corps et votre esprit* — Presses de la Cité, 1965.

27. Selye, Hans, *Stress sans détresse*, Éditions La Presse, Montréal, 1976.

28. Sergerie, Adela T., *De la Cellule à la morphologie humaine*, Éditions du Jour, 3411 St-Denis, Montréal, 1967.

INDEX THÉRAPEUTIQUE

Ami lecteur,

Avant de refermer ce livre, faites-moi le plaisir de répondre à quelques interrogations, lesquelles pourraient aider notre évolution. Merci!

Quelle(s) page(s) de ce volume a (ont) davantage retenu votre attention?

Pourquoi?

Y a-t-il un (ou des) point(s) précis qui vous a (ont) aidé à solutionner un problème de santé?

Lequel?

Quel(s) commentaire(s) aimeriez-vous ajouter?

Merci, ami, et bonne santé à tous.

Retourner à:

Madeleine Turgeon,
a/s des Éditions de Mortagne,
175, boul. de Mortagne
Boucherville, P.Q.
J4B 6G4
Canada.

COMPOSÉ AUX ATELIERS GRAPHITI INC.
À SAINT-GEORGES-DE-BEAUCE
ACHEVÉ D'IMPRIMER SUR LES PRESSES DE
L'ÉCLAIREUR LTÉE À BEAUCEVILLE